劉福春・李怡 主編

民國文學珍稀文獻集成

第四輯

新詩舊集影印叢編　第121冊

【長虹卷】

精神與愛的女神

1925 年 3 月初版

長虹 著

光與熱（上）

上海：開明書店 1927 年 2 月初版

長虹 著

花木蘭文化事業有限公司

國家圖書館出版品預行編目資料

精神與愛的女神／光與熱（上）長虹 著 -- 初版 -- 新北市：花木蘭
文化事業有限公司，2023〔民112〕
100 面／142 面；19×26 公分
（民國文學珍稀文獻集成・第四輯・新詩舊集影印叢編　第 121 冊）
ISBN 978-626-344-144-6（全套：精裝）
831.8　　　　　　　　　　　　　　　　　111021633

ISBN-978-626-344-144-6

9 786263 441446

民國文學珍稀文獻集成・第四輯・新詩舊集影印叢編（121-160 冊）
第 121 冊

精神與愛的女神
光與熱（上）

著　　者　長虹
主　　編　劉福春、李怡
企　　劃　四川大學中國詩歌研究院
　　　　　四川大學大文學學派
總 編 輯　杜潔祥
副總編輯　楊嘉樂
編輯主任　許郁翎
編　　輯　張雅淋、潘玟靜　美術編輯　陳逸婷
出　　版　花木蘭文化事業有限公司
發 行 人　高小娟
聯絡地址　235 新北市中和區中安街七二號十三樓
　　　　　電話：02-2923-1455／傳真：02-2923-1452
網　　址　http://www.huamulan.tw 信箱 service@huamulans.com
印　　刷　普羅文化出版廣告事業
初　　版　2023 年 3 月
定　　價　第四輯 121-160 冊（精裝）新台幣 100,000 元　　版權所有・請勿翻印

精神與愛的女神

長虹 著

長虹（1898～1954），學名高仰愈，
又名高長虹，生於山西盂縣。

一九二五年三月初版。原書三十二開。
影印所用底本版權頁缺。

民國文學珍稀文獻集成·第 4 輯

新詩舊集影印叢編（121-160 冊）書目

.

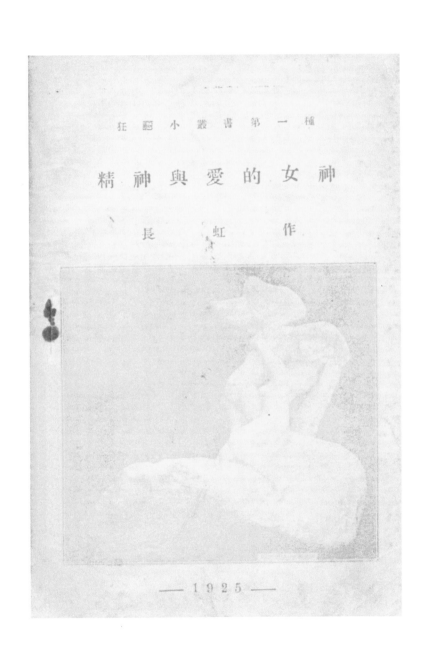

目　　錄

精 神 的 宣 言

1

我疲倦了。我不能復忍此過度之奔馳。

我是一隻駱駝，我的快樂只有負重。我的希望，只有更大之重負。

我不願走坦道，因為這樣的一日將要來了：在這坦道上，將要為屍首所充塞了。

在我則，最安全的路只有崎嶇的山路。我將披堅執銳，而登彼最高之山巔。

朋友！你們將要笑我狂嗎？庸人於其所不知，則謂之狂，你們真是庸人呵！我最大的希求，便是遠離你們而達於狂人之勝境。無偉大之靈魂者，必為狂人之國所擯棄。我將使你們於被擯棄之羞辱中而得卑下的自欺的自慰。

2

然而我的重負說了。

「你燥急的怪物呵！你將負我等至於何地？你走得何其迅速，你將墜我等於山麓嗎？」

「你驕傲的畜生呵！我們將爲你所破碎，你的背乃如是之隆腫，你何逆吾等之意而生此畸形？」

我隱忍而不言，我知道，我的責任，只在負重。

然而我疲倦了。我眼花而神昏，我已無復精力，我已不能擔負我的工作。

而我的重負笑了遣。是何等殘酷的聲音！

3

我的將死的喘息，乃只供彼等取樂之資嗎？

我將不復行，我將留置彼等於懸崖之上，而求自我之滿足。

我將變而為少年，而臥彼美女之懷。

世間所有的東西，沒有比我的慾望更大的了。我愛一切，我要把我自己發展至無限，我要把我做成功一個宇宙。

然而，在現在，我已成為一個自好之君子，我已捨棄我之一切慾望，而只願作一被愛之少年。

世間有可以被我愛的女子嗎？誰將以被寵

4

之手來接受我的禮物？

我懷疑着，我搜尋着。

誰願意佔有我呢？嫵媚的女將呵！誰願意攜我去做俘虜呢？我冒險地嚷着。

彼處有美女向余招手。

彼來世已久，彼曾以享樂爲唯一之目的。

然彼之享樂，彼已覺悟，彼知所得到者，皆非眞樂。彼之尋求，只得空虛。於是而彼所得到者，惟有悲哀。

彼亦嘗一覩理想之彩光而起驚異之心。然彼爲境遇所驅，理想已一瞥而逝矣。

5

然理想在彼魂中，已根深而蒂固矣。如一
有所觸，則彼必將彼之寶物獻上理想之寶座。
彼已知彼之寶物，必於理想中乃能有所贈與，
乃能得鎮重而收受之，而以全生享有之者。

彼已識我，彼已於夢中與我成莫逆矣。彼
已將彼之寶物獻給我矣。

彼何物耶？彼乃宇宙間最精美之一物，彼
乃創造者最得意之作品，我如是確信。

汝等乃敢譏笑我嗎？然我知，有譏笑之權
利者惟我而已。汝等且將受我之譏笑，我將譏
笑汝等之無所見也。

6

汝等亦知有愛，然汝等所愛者，皆我之所憎。汝等亦非無眼，然我之所見者，在汝等則為無物。然真物則在汝等所視為無物之中。

我將犧牲一切，而投赴彼美女之脚下。能享受我者，惟彼一人。亦惟我乃能滿足彼享樂之要求。

然彼之聲音，抑何其悽楚？彼其病彼享樂之失敗耶？然彼將得勝矣。

彼之一切，已不足梗我之心。我聞彼哭而我乃涕淚滂沱。我將以彼之苦為我之苦。

彼之心已跳動矣，因無安息之所故也。彼

7

之心已哀鳴，彼已招我而與彼共鳴。我孤鳴已久，我不與彼共鳴而誰共耶？

吾今厭惡一切，因吾已疲倦矣。吾將擯棄所有而求吾自我之恢復。

吾將再來。吾再來時，將有更充實之生命，吾將有更大之力以負吾之重。然吾此時則疲倦矣。我將退而從事於自我之享樂。

汝等猶欲羈絆我耶？然不久，汝等則知我乃不可羈絆者。

我已無說話之餘裕，我之自身及我外之一

8

切巳不與我以述說之安詳。我將歸於沈默，我將以沈默而執行我之實行。生命最高之表現，惟實行耳。

我將逃…………………

美 的 頌 歌

1

1

名城多美女，

彼美生於茲，

在茲名城中，

彼爲最美者。

2

玫瑰何鮮艷？

睡蓮何皎潔？

以視彼美臉，

羣卉無顏色。

2

3

不得彼美盼，

長江昏且濁；

不得彼美笑，

晴天暗如墨。

4

彼美唇何紅？

疑是日之精。

由此發詔音，

濁世永光明。

3

5

彼美耳何聰？

天耳非荒僻。

大宇與悠宙，

彼聞如咫尺。

6

彼有純陽指，

點人如點金，

彼指一微動，

凡愁皆聖明。

4

7

宛如雲雀歌，

繚繞於天空，

當彼沈吟時，

我聞如是音。

8

知彼美之心，

精神之精神，

使我無彼者，

抑悒而終窮。

9

我視世間人，

無足當一瞥，

今我見彼美，

如螢見日月。

10

投身世界戰，

無援久孤軍，

彼美在我傍，

若擁百萬衆。

6

11

當我疲倦時，

永無片士息，

臥彼懷之中，

令我忘一切。

12

我求人生樂，

辛勤無所得，

今我逢彼美，

大地無悲戚。

7

18

我本一超人，

遨遊世界頂，

自我得彼美，

赤子得慈母。

14

我有無限情，

藏之無處發，

今乃得所售，

不復歎失業。

15

飛鶴唳長空，

落梅含幽怨，

百年如一曲，

我彈而君唱。

16

我身入君眼，

我影得永存，

乃知造我者，

我生專爲君。

恒　山　心　影

1

1

我以天耳聽君心，

君心向我作交鳴。

2

我欲臥君之玉懷，

君懷爲我開不開？

3

我乃山中之空氣，

入君肺腑永不去。

2

4

君試摘花揷髮間，

髮間情話訴琅琅。

君見小草縈君裾，

此草乃我之化身。

6

枝頭殘紅爲君落，

欲以香吻吻君脚。

3

7

我乃天上一輪月，

照君玉影倍皎潔。

8

我乃山巔之白雲，

與君溶合不可分。

9

我命細柳爲君舞，

君心與柳共夭燇。

4

10

我邀和風爲媒灼，

與君傳送求凰曲。

11

我釀清醇之美酒，

爲君洗塵作歡飲。

12

我如菊花九月開，

欲開不開待君來。

5

13

君欲留兮夷猶，

誰阻君之清遊？

14

君作恒山之吟兮何為？

將以遺我兮雙美？

15

君之來兮何晚？

我眼欲穿兮我魂欲斷！

6

16

我之哀鳴兮無以寄君，

君愛我兮，君聽將之於無聲；

離　　魂　　曲

1

1

桂冠兮塵封，

晶淚兮成冰，

愛不我與兮，

吾將爲誰而生？

2

大海兮濤狂，

吾生兮如船，

誰爲我把舵兮，

駛向日出之東方？

2

3

我有佳人兮，

溺彼現實之濁流．

我有佳人兮，

日隨風波而浪遊。

4

一日不見兮，

有如三月——

三月不見兮，

吾淚盡而成血。

3

5

我無羽翼兮，

負彼隋身之娉婷：

升之於光明之天兮，

息之於理想之宮。

6

彈不成聲兮，

聽而不聞；

吾將碎此綺琴兮，

易之以鐘鼓之噪音。

4

7

生不足戀兮，

死又何惜？

不得佳人之一盼兮，

吾雖死而不瞑目。

8

吾生有所爲兮，

爲彼佳人。

吾有美才兮，

將獻之以求婚。

5

9

臉漂亮兮眼伶，

桃李其貌兮，霜雪其心，

視我之珍寶兮，不值一哂——

我之珍寶兮，固鍊自宇宙之精醇。

10

吾歌未終兮，

吾魂已飛；

吾將化為厲鬼兮，

憑彼身而作祟。

6

11

吾欲吮彼鮮血兮，

舌撟而口噤；

吾欲扼彼香頸兮，

手麻木而不靈。

12

魂兮何怯？

彼乃我最高之主宰兮，

么麼之小魂兮，

汝欲何爲？

7

13

吾生爲佳人而生兮，

死亦爲佳人而死，

魂乃我之奴隸兮，

汝何敢忤余之意？

14

吁嗟我魂兮，

汝何太愚！

吾旣命汝以殺彼兮，

吾又將執此以正汝之罪！

8

15

吾愛佳人兮，

甚於愛我，

汝精誠之忠魂兮，

猖猖兮為何？

16

吾作招魂兮，

命彼歸來，

吾欲托之以重任兮，

為我作玉宇之郵差。

9

17

魂兮歸來！

汝爲我寄言兮與彼佳人，

謂我之天馬已備兮，

吾將馳騁於穹蒼之太空。

18

吾將登富士之高巔兮，

吸東方之朝暾；

吾將泅愛琴之幽窈兮，

瞩海女之仙宮。

10

19

吾有幻夢之靈吻兮，

吾有雄武之偉幹：

朝飲巴黎之佳釀兮，

夕以柏林作戰場。

20

吾將攬艇於斯比西灣兮，

弔雪萊之香魂；

吾將飛馬於米檢朗其兮

跡拜倫之故蹤。

11

21

拿破崙之曠驃兮，

留滑鐵盧之遺哀；

維廉第二之輕狡兮，

宜普魯士之失敗。

22

吾將濺血成洪流兮，

同眾魔而永沈；

吾將橫屍作虹橋兮，

渡生民於樂欣。

12

23

吾欲鞭馬克司之屍兮，

何為造科學之讕言？

俄羅斯二萬萬之赤子兮，

逐初生而遂殃。

24

炸彈兮雷鳴，

飛艇兮翔空，

血迸飛兮天紅，

吾叱咤兮指揮於其中。

13

25

吾有其志兮，

而失其力，

吾魄空存兮，

吾魂已侍彼佳人之側。

26

願佳人兮赦予，

賜吾魂兮來歸。

願佳人兮垂愛吾魂，

使彼得稱意而返命。

14

27

嗟余一失侶之雁兮，

嚶嚶而哀鳴．

余生而無所着兮，

何暇顧衆庶之悲欣？

28

我有喧天之鼓兮，

請佳人爲我敲之！

我乃千里之馬兮，

汝何爲棄而不騎？

15

29

汝爲我揚巾兮，

如雲旗之飛空。

汝櫻唇之微動兮，

我如聞上帝之詔命。

30

吾若枯骨兮，

欲求生而不得，

汝既有此誓言兮，

何不賜我以處女之鮮血？

16

31

汝之法力兮無窮，

我之所愛兮惟汝一人，

汝何以寬博遇衆兮，

獨報余以慳吝？

32

吾魂營營兮，

彼沈默而不言，

不識我之美意兮，

謂爲蒼蠅之聲。

17

33

欲歸而未敢兮，

欲留而不能，

吾可憐之窮魂兮，

迷惘而不知所從。

34

吾批頰以自責兮，

血涔涔其滿襟。

魂無事而受罰兮，

吾何為出此亂命？

18

35

聲嘶而力竭兮，

魂瀰瀰而將死。

招吾魂其來歸兮，

聽吾二次之差使。

36

歸來兮吾魂！

請返君之故居。

君流離其失所兮，

我惶惑而無所措。

19

37

汝為我作哲士兮，

識天地之玄真，

離至遠與極微兮，

汝觀之如掌文。

38

汝瞑目而遐思兮，

告我以佳人之何想？

汝攘袖以伸指兮，

為我彈佳人之心絃。

20

39

面微暈兮泛朝霞，

眼流波兮浮碧水，

彼玲瓏之巧心兮，

汝視彼方作何語？

40

身若被電兮心若驚弓，

神思瞀亂兮坐臥不寧，

汝報我以此訊兮，

我將爲彼作安慰之妙音。

21

41

靜夜兮孤燈，

對卷兮微吟，

彼吟美的頌歌兮，

抑恒山心影？

42

見宿鳥兮傷離，

臨流水兮嘆逝，

何不酌青春之醇醪兮，

賜以醉彼之愛者？

22

43

汝熟催眠之秘奧兮，

引佳人而入夢：

夢我栩栩而化蝶兮，

飛入彼要眇之酥胸。

44

理情絲而成線兮，

招月老而語之：

貫佳人之靈竅兮，

繫之於我之窩臍。

23

45

我大如宇宙兮，

小如電子，

彼立我指爪之上兮，

我宿彼血輪之內。

46

汝爲我作天使兮，

駕彩雲而翱翔，

餘仙樂之嫋嫋兮，

吾來自理想之鄉。

24

47

安那其之美備兮，

乃超人之所居。

吾在羣彥之中兮，

忝濫竽而充數。

48

聞故士之哀鳴兮，

吾心悸而情動，

不惜天遙而路遠兮，

將以救落伍之諸昆。

25

49

掇太陽而為光兮，

發狂飆之長嘯，

衆耳聾而目眩兮，

呪我為亂世之妖。

50

吾懷忠而見謗兮，

心迸裂而欲墜，

忽見佳人之倚樓兮，

眼盈盈而望我。

26

51

吾歔忤而欲涕兮，

忽失聲而成歎，

知佳人之卓越兮，

誠萬物之靈長。

52

戀意積於中情兮，

身炎熱其將焚，

向佳人而致辭兮，

曷扶搖而上登？

27

53

愛佳人之聰慧兮，

知人生之何求，

吾與汝比翼而齊飛兮，

歸永樂之芳洲。

54

嗟佳人之易感兮，

愛鄰人其如己，

我為君作破壞之暴徒兮，

君為我宣和平之法旨。

28

55

羨佳人之靈秀兮，

乃造化之所鍾，

我智盡而技窮兮，

願委身而待命。

56

我憤懣其欲狂兮，

將倒行而逆施，

願佳人之賢淑兮，

復我壯美之初志。

29

57

恍大夢之初覺兮，

眾欣欣其再生，

吾與汝先驅而指路兮，

眾踴躍而追奔。

58

忽所向之將至兮，

聞歡呼之如雷，

我與汝唱凱歌兮，

眾齊聲而

30

59

吾千呼而萬喚兮，

魂寂寂其不歸。

釀江水而爲酒兮，

奠吾魂而招之。

60

汝爲我作詩人兮，

吐曠邈之頌歌，

向佳人而誦之兮，

彼遙聲而投我

31

61

泣杜鵑之幽咽兮，

唳玄鶴之清朗，

彼情波之蕩漾兮，

若沈淵而升天。

62

綴星斗而爲字兮，

織雲霞而成章，

猗光怪而陸離兮，

暈佳人之青睞。

32

63

借廣陵之絕調兮，

譜綠綺之新聲，

彼知音而識曲兮，

效文君之來奔。

64

挹清秋之玉露兮，

曜春日之明輝，

感芳齡之不再兮，

願及時而愛予。

33

65

彼永夜以相思兮，

魂忽忽其將離，

爲彼作安眠之歌兮，

引佳人而入寐。

66

鳴泉噎其淄瀨兮，

垂楊失其旖旎，

吾詩成而遙思兮，

問佳人之知否？

34

67

霙霏花而爲屋兮，

鑲流星其盈楣，

吾新造藝術之宮兮，

待佳人之卜居。

68

振鳳鳴之卽卽兮，

於雀噪之啾啾，

彼芳心之自鬱兮，

恐託身之非偶。

35

69

憶佳人之艷麗兮，

成錦繡之名文；

哀佳人之抑鬱兮，

如落葉之隨風。

70

萬籟闃其息響兮，

吾引吭而孤鳴，

驚佳人之罷夢兮，

玉淚漬其沾衾。

36

71

辭傾河海兮筆挾雷電，

四韻鏗鏘兮五色斑斕，

壯與雲飛兮逸思雨來，

惟賴佳人兮賜我靈感。

72

空氣顫兮如梭，

歌音起兮如波，

聞清和兮不疑，

非佳人兮伊何？

37

73

魂兮汝其速歸！

吾有寶劍兮待汝佩之。

汝爲我作俠客兮，

爲佳人之護衛。

74

彼性善而膽怯兮，

畏社會之輿論；

彼天眞之未鑿兮，

昧人世之僞情。

38

75

彼貌美而名高兮，

羣蟻驚其爭泝，

彼獨力之難支兮，

何以誅此妖孽？

76

生小家之碧玉兮，

長藝林之名媛，

衆庸愚而不識兮，

猶視之如疇曩。

39

77

少見而多怪兮，

衆口騰其欲沸；

思高而行邁兮，

宜社會之謠諑。

78

凡於彼有不利兮，

汝殺之而勿疑！

凡為彼所不喜兮，

悉聽汝之裁制！

40

79

魂兮歸來何遲！

上帝賜我遺產兮待汝受之。

汝爲我作富翁兮，

散之以樂佳人之意。

80

移廣寒而爲宮兮，

折若木而成堂，

浴天河之神水兮，

臥海龍之玉牀。

41

81

戴孔雀之彩翎兮，

披仙鶴之白氅，

集狐腋而成裘兮，

圍虹蜺之華裳。

82

漱蟠桃之香露兮，

理朝霞之新妝，

佩瑤台之紅玉兮，

插淨土之白蓮。

42

83

畜羚羊而成羣兮，

驅蛟龍而守戶，

飼鳳凰於金籠兮，

代檐前之鸚鵡。

84

駕鵬翼而爲艇兮，

闢瑞士而成園，

攜佳人而同游兮，

衆驚覩如逢仙。

43

85

何頑魂之倔強兮，

終不聽余之命？

見蘆葦之委靡兮，

若謝余以不敏。

86

疑急喘之難積兮，

疑屍碎之無存，

汝臨陣而逃亡兮，

抑瘞志而殞身？

44

87

天地隘其無隙兮，

日月暗而不明，

哀吾身之何託兮，

將隨魂而俱盡。

88

攀樹頂以俯矚兮，

羨湖水之清優，

欲踴身而下躍兮，

與白鴨其同遊。

45

89

飲高粱之渾液兮，

日暮暮其常醉，

余人中之健者兮，

何生涯之如此？

90

夜耿耿以不寐兮，

對詩卷而孤吟，

何明月之臨窗兮，

無佳人之伴予？

46

91

歎奔波之徒勞兮，

欲抽身而自爲，

偶一時之偷閒兮，

情脈脈其念汝！

92

有璞玉兮琅琳，

欲以遺兮佳人，

吾三献而未刖，

乃失我之魂精。

47

93

伊秋風之將息兮，

吾乘槎以東征。

逐三島之浮鷗兮，

搏東海之長鯨。

94

吾欲先登恒山兮，

覽北方之雄奇。

小鳥喃喃其語我兮，

謂佳人曾遊於此。

48

95

撫石上之餘影兮，

嗅腳下之香塵，

風颯颯而樹動兮，

疑佳人之來臨。

96

吾將繞道至西湖兮，

觀南方之佳麗。

見師復之遺塚兮，

倏汗下其如雨．

49

97

失春光之明媚兮，

餘秋色之蕭條；

知佳人之好遊兮，

願明年其來早。

98

吁太原之末日兮，

或世界之生辰？

余行裝之已備兮，

待魂歸而登程。

50

99

魂渺渺其無影兮，

余嗷嗷而望汝！

縱忽忽以失路兮，

何久久之不歸？

100

忽山嶽之崩頹兮，

余倒身而在牀。

如佳人其愛我兮，

請爲我爇返魂之香！

愛 的 憧 憬

明月在天，照我孤眠，

我思愛人，在彼西方。

西方淒清，愛人滯停，

思我不見，淚下成氷。

氷淚如丹，歷歷胸前，

我欲飲之，消我渴腸。

2

愁思如結，魂斷欲絕，

願得天手，縈魂解愁。

磽聲隆隆，震我怵勘，

我欲起舞，靜彼妖夢。

愛人不見，失我主宰，

身且不保，勇自何來？

3

萬念俱寂，我心惟汝，

裹心入簡，將以寄之。

氣塞汗蒸，郵差怪驚，

疑被鬼憑，如負千鈞·

愛人見之，樂極涕零，

視之無形，而聞其聲。

4

其聲華貴，如鈞天樂，

其聲淒楚，如鬼幽咽。

把玩不釋，悲喜交作，

以我心動，知彼情結。

汝亦有心，何不寄我？

兩心相易，各得其所。

5

我有父天，錫我苦寒，

我有母地，畜我空房。

我有愛人，勞我思量，

我有生命，一息瀰瀰。

我有奇謀，藏之胸中，

我有寶劍，羞澀苦生。

6

我有同情，棄置不用，

我有胞與，救之無心。

我有哲學，輟筆中斷，

我有藝術，失其寶光。

我欲遠遊，脛斷腳胼，

我欲自殺，愛汝不忍。

7

我居宇宙，如居荒島，

海水茫茫，圍我周遭。

長鯨吼鳴，對我流涎，

欲食我肉，飽彼饑腸。

妖狐撲率，獻媚求歡，

欲吸我精，羽化登仙。

8

蘆葦輕佻，作態翔翔，

笑我孤獨，益我淒涼。

颼颼颼颼，為我少停！

願附汝脇，與汝長征。

紅葉墜池，霜寢其上，

我生如葉，我心如霜。

9

找有扁舟，輕巧玲瓏，

髮作風帆，肺作舟身。

十年之功，一旦無存，

我陷荒島，彼留海濱。

我呼愛人，汝其救我！

汝手顧長，為我把舵。

10

碧波鱗鱗，舟行盈盈，

我唱臚歌，汝誦福音。

我本無生，而汝活之，

願作牛馬，供汝驅馳。

鳴衾瑟瑟，伊誰在傍？

不見愛人，惟見空牀！

11

挑燈展卷，讀我安那，

寒光如燐，斷魂欲化。

紙墨飛動，疑在書中？

我呼愛人，愛人不應。

嗟我維特，汝誠我師！

願入汝墓，與汝同棲。

12

蘇寶何人？奪我海琳！

汝有華飾，我有裸身。

劍恒猙獰，怒目向我，

我無紅娘，其奈君何！

如居垓下，四面楚歌，

拋書起舞，淚下成波。

13

鳳兮鳳兮，何德之衰！

舉世皆聾，汝欲何為？

昔居山中，羽毛豐潤，

今來塵世，神形交病。

欲誦頌歌，起拔凡庸，

遭時不遇，乃變鴉鳴。

凰兮凰兮，望汝來歸！

賜我勇氣，與我和諧。

我生渺小，如葉在樹，

不有好羣，何能獨愉？

光與熱（上）

長虹　著

開明書店（上海）一九二七年二月初版。原書三十二開。

狂飆叢書

光與熱

長虹著

上海開明書店印行

1927

狂飆叢書第一種

光 與 熱

長 虹 著

1927

開明書店

光　與　熱

昆　虹　著

光 與 熱 目 次

— I —

— II —

— IV —

游　離

我的名字是 N，這便是我的惟一的所有。歷史嗎，我不久要有二十八足歲了。

我望着我的前面，空空洞洞地，我望不見什麼。

雖然有時候，也有些幻象給我出現。但牠們是很變化的，我常認不出那一個真的是我的幻象。

在那裏，我可以看見我所想望的，也可以看見我所厭惡的。我想，那都同現在一樣，不變的是我的名字，別一方面，則我或者可以活到五十足歲。

常我孤身躺在野地裏的時候，我不妨做一個將軍夢。同樣，我可以孤身躺在戰場上。一切都像是夢。

美的雲彩在空中遊蕩着，排列出各樣的形式，我知道那是夏天，我想像需雨，想像被風吹折的花，想像窗傍倦臥的美女，想像我在泥濘的山路中奔馳。但一到冬天，我的想像便都另換了一套，那是些，荒漠，廝殺，白骨。然這一切，我都在愛慕。

我苦的倒是這些，我常覺到空空洞洞地。人生不便

— 1 —

是這樣嗎?幾時會有充實的時候?

今天我同一個朋友談起這話,我的朋友嘆了一口氣笑了。我想,人生永久是如此的,讓我們嘆一口氣笑了吧!

然而我不能常笑,也不能常嘆氣,因此,我便做了負重的牛。我需要的,倒像是喘氣。

我負的究竟是不是重? 爲什麽我又常覺着空空洞洞地?我負的難道便是空嗎?這樣想時,我又嘆了一口氣笑了。

然而我又時常在回望着過去, 像有鐵索想把我絆住。

但我寧願把鐵索握在我的手中, 我玩一套把戲給大家看。大家已經不大看見把戲了,因爲大家都住在荒漠中。親愛的白骨!讓我們一同起來走索好嗎?

我做着一個奇異的夢,我熟睡了。

我住在無定居。如其今天有人問我在那裏住,我將說在 C 的家裏,但晚上我却睡在 B 的床上了。但這也並不是我所痛苦視之的。我以爲一切人都同我差不多。

但我終覺不能忘情於安居,在夢中我常像跑回家裏,睡在我的夫人的身傍。

誰是我的夫人呢?是小說上的仙女嗎? 是我的理想的愛人嗎?不然,你們在你們的身傍大概都可找見她的類似,一個不認識字的纏足的鄉下婦人。

人常把他的夢贈給他所不喜歡的。那夢,那是人生的精華,那是藝術之所由生,哲學之所由成呵!

我的夢便這樣揮霍了!我不至於絕望者,因我白日還剩着另一樣的夢呢!

然我昨夜在夢中也居然看見我的白日。

我夢見我睡在大學校裏。外邊進來一個小孩。我不認識他,但我知道他是從河南來的。他問我道: Q住在這裏嗎? 我答: 你為什麼不到他公館裏找去? 他聽着,跑了。我在後面追他,我問:你見小弟弟沒有? 遠處我聽見答覆——你一年後纔能夠見他呢!

我又夢見一個老朋友,鉛鐵一般的皮膚貼在臉上,我驚得發顫,他常是那樣健壯呢!我想着他的女孩子呢!

………………

然這些,在我的夢中,可以說是例外。

我的弟弟住在家裏,來信說他很痛苦。我同情於他的話,所以我發誓不再回家,我已二十八歲了!

我的母親在家中病着,我有什麼法子呢? 如其我在

— 3 —

這裏病着,誰有什麼法子呢?

我不願叫家裏知道我的行蹤,他們會罵我沒有天性。天性呵,我早與你分手了!但有之者,誰敢於驕傲我?老實說,我願意毀滅了一切的家庭,並且連家庭的情感!

但不回家,我終覺很痛苦的,我大概仍然被天性束縛着嗎?

在一間中產家庭的房子裏,躺着我的母親,一邊坐着我的弟弟,地下立着我的夫人。我哭了。我想看見他們!

我的母親,便是那個在我的兒童時代以怒臉向我的,在我的少年時代以笑臉向我的,在我的青年時代以苦臉向我的,一個臉色不定的婦人。今年五十歲了,已生了三分之二的白髮。我已生了三分之一的白髮。我將不死於髮之白!我贈給母親的,只有一個少年的孩子!

我將不再看見我的母親嗎?我反對一切的母親!唉,痛苦的母親呵!痛苦的孩子呵!我們遭遇的是什麼時代?

同樣的,我也有我的孩子,今年五歲了。我去年還看見過他。他有我那樣地聰明,我不可以讚揚我自己嗎?

我實在愛我的孩子,他常拉着我帶他到街上玩,只有他能夠拉得動我。他,我從那裏看見那兒童時代的我,我可以從他接吻我的過去。我愛他甚於別的一切孩子,

— 4 —

我愛他如我自己。

我如何能夠現在抱住我的親愛的孩子呢？這豈是二百里的路程所能隔絕了的嗎？

有母，有妻，有子，而我不得歸。我將棄絕家庭。

故鄉的風物，我時常想起，但我不能看見。牠們只給我的歷史做了背景。我不能離開溫泉的洗麻泉去找我的七八歲時的游戲。我想起十四歲的我時，我一定會先想起城裏小飯舖的油布袋。

他們可以節省一筆酒錢了吧，雖然他們失掉了一個人，雖然這個人是不爲他們所容的。

然我知道，便是在今天，我的母親，我的弟弟，我的夫人，我的孩子，一定都會有一個時間想到我，無論是望我或恨我。除了玉交麵，趙大夫之外，我還是他們的一個很有關係的人。

我回到這裏已兩個禮拜了。我本來便只打算住兩個禮拜。但火車不通了，我只得一氣住下去。我不如兵有**身分**，這是火車的意見。我後悔我沒有早去當兵。

我看不起那些兵小子們，不是因火車問題而有所**私**恨。我希望戰爭，但他們是膽小的，槍常負在肩上。槍壓着兵，所以看不見火。如其我是兵時呵！

太原不見火光，已經十四年了。論理是應該打幾下，調和一些空氣。老百姓們也太怕死了，不適於競爭生存，聞一聞煙火氣不好嗎？

況且，我既被關鎖了！被什麼，不是被戰爭嗎？戰爭在那裏？我走到街上，只看見一些死氣沈沈的路人和死氣沈沈。連個搶刧的都沒有，太平得多麼無聊！

我的上海，我的黃浦江，我的江灣，我如何能立刻走到你們跟前？

住着實在無趣，一天等於一天，一連住了十四天尋不出一些變換，只有天氣冷了吧？

我仍然穿着我的秋天的衣服。前天 Z 問我：你不害冷嗎，穿我的馬掛去如何？我說：不冷！真的，我是冷而不冷。我現在害冷，但我不高興說冷。我想我的夾衣還可以穿兩個禮拜下去。

我看見穿着綿衣的人，我憤恨他們奪人所有。我看見穿着夾衣的人，我憤恨他們奴氣十足。我看見我自己的夾衣，我笑了。

我一隻眼望着北方，一隻眼望着南方，我的身體躺在中間。連汽車都停賣客票了，我能飛到那裏去？這些猴兒們，只會大小怪驚地！

唉！天冷，火爐在那看呢？筆頭，筆頭…………

— 6 —

我一個人在街上走着,是晚上九點鐘了。這裏的人們都害的是早睡病。街上的電燈,只能夠照見自己。極細的雨點零落着,只有皮屑些微感覺到。風却緊張地吹到我的身上,使我時刻忘不了我所穿的夾衣,我戰慄了。這便是荒涼的寫照吧? 我疑惑有人在後面追我,大概是黑暗。

我計算着今天晚上的宿處,何處有火,我將逐火而居。

天上的雲彩稀疏地堆積着,這是不會下雨的。雖然,如其一下雪,天氣便會冷了。如其下雨,明天一定會變成雪。

我計算着賃一間房子,過我的寂寞的文字生涯。總之,除寂寞外,還會發見什麼呢?

娘子關已經開火了吧? 今天一個朋友從火車頭上得到消息,井陘的兵已開到北京去了。火車頭又如何靠得住?我還是相信我所相信的,三日內,太原會換成別樣的形式。

我恍惚看見幾個熟的面孔,伸出在軍裝上的,我同他們握着手,但不說話。

唉!我是——太遲了。失敗………失敗………

別一個軍人向我對面走來。更其熟識,但我想不到是誰。

你是——?我問了。

是我!是我自己的聲音。

我一個人在走着呢。

在兩禮拜前,我和小弟弟一同從北京起身。我們一到了太原,便不約而同地說,住三兩天,我們趕快走吧。

誰知小弟弟走了,我却一個人留在這裏,而且沒有信來。

在他走的那一天,保定開火,打傷南下的火車。次日保定又開火,小弟弟!莫不你已做了火下人?

我的意料,他一到石莊,便要給我寫信。如今已是八天了,為什麼還沒有一些消息?

我只往壞的一方面想, 他被人誤認做偵探抓去了嗎?他觸在不知何處來的飛彈上了嗎? 他死在他的憤怒中了嗎?

自然,如其他已坐在東安樓上,同H, P吃栗子時,我還有什麼話可說呢?

我想念着H,他給我新鮮,給我活潑,給我美,但我所給與他的是什麼?

— 8 —

我想念P，我時常在擔憂，怕他太喝多了酒。

我想念着X，我太對不住她了。我確乎太殘忍，我用毒藥敷在她的新傷上，雖然我並沒有歹意。

女子像一朵花，你如愛她只可愛她的美，她是不能夠經受暴風雨的，而我却給她以暴風雨。

有益於女子的，是同情，贊揚和和善，而我却施之以暴戾的斥責。

我希望煽着一支嫩燄蔓延而成為大火，但我却用力太大幾乎煽滅了。當眞嗎？我好久不聽見她的聲音了。

但我昨天却發見了她的一點秘密，她告訴我她是勇敢的人，她這還是第一次的宣布呢。

但她以為我在驕傲她，雖然我在崇拜她，而且我舍她外再沒有崇拜過別的。上帝之於我，是一個可笑的傳說。我常把他嵌在我的詼諧的談話中，我甚而至於蔑視我自己的思想。

我想念着——我什麼都無須想念了。

一苗死燄！是我的自贊。

我在被包圍着，東西南北都是兵，我不能到何處去。因為我一個兵也沒有。

然使我有五千兵時，我早巳把那個儍傢伙包圍了。

太原是一座空城,所有的兵都是預備偸跑的。只要我有五百兵時,我一定會先去佔領了火藥庫。

在無人之境,我却閒廢着,我摸着我的額腦。

時候倒正是夏天,我自己纔是冬天呢!

今天還沒有得到消息,不知外面打得如何了?

學生們都忙着回家,學校大槪快關門了。我贊成解散學校,因爲牠那裏只能裝那麼些學生。但我不贊成回家。離家,回家,離家,回家,我們的所謂智識階級的先生們,永遠走的是這一條乏路!

把眼睛放遠一點呵!家庭之外 ——

一旦我有了兵,我一定要分駐在各各的家庭中,把棧房留給那些遊民,人們都住了棧房時,社會也許會變好一些了吧?

我的親愛的靑年們,把眼睛放遠一點吧!

爲什麼那個漂亮的面孔,忽然闖進我的心來呢?

這是一種頹廢病,我時常思念女子。雖然她在我的思想中只佔三分之一的地位。到我完全屈伏於她時,我便一時完了。

我有時竟會只想念一個女性的生殖器, 這多麼危險。

我詛咒一切！

我從海子邊走過，看見有兵在那裏操，我可以叫他
們做兵嗎？他們在學開步走。

為什麼我同人們談起海子邊的那些兵時，他們都
要發笑呢？

這幾天開走的兵，是不是便從那裏訓練成的？

他們的腿像槍那樣地笨，但他們沒有槍。

街上的洋車夫少得很，莫不都到了這裏？

棧房裏都住滿了兵，原來便是他們。

我想跳到他們跟前說道：讓我們打一戰好嗎？他們
也許會發了怔，問：打戰——什麼是打戰？

打戰！打戰！我們一齊都打戰去呵！

我做的是表現派的夢，但我的現實，是比寫實主義
更簡單。

今天颳起風來。風是英雄。他能使靜者動而動者更
動。

我看着風時，想起我的朋友了。我給他寫了一封信，
從下面寄去。

親愛的朋友！

— 11 —

　　好久沒有接你的信，你的工作如何了？各處的人們都在反對你，有的還簡直在嘲笑你，咒罵你呢！這很奇怪，他們倒像是以為你是世界上的惟一的惡人！你的到罪惡之路做成功了嗎？我想，怕你沒有工夫做，你正在走着罪惡之路呢！

　　在距離今天兩個月的光景，我曾聽到關於你的不好的消息。你知道我當時的血液奔流到多麼邁急嗎？但不久我鎮靜下來了，我相信那一定是謠言。人們為什麼那樣喜歡造謠呢？假如有上帝的時候，我第一便是要斥責他不應該把嘴付與了人人。

　　朋友！你知道嗎？我時常在想你，當我最絕望的時候，我一想起你，我便立刻承認世界還是一個世界。我的親愛的朋友！你為什麼不把這個世界多顯示給幾個人呢？這怕可以說是你的罪惡吧！朋友！連我都這樣說了，你夠多麼不幸！當人們把責任放在你的肩上的時候，他們空閒了，便來搜尋着說你的壞話。你是我們人類中間一個真的受苦的人，你能說這不是因為你曾經犯過罪嗎？

　　咋天，我碰見你的一個鄉親，他問我你現在在何處。我說不知道。他很失望，他沒有從我這裏獵到可以誇示於人的消息。我覺着像我在把你藏在暗

　　— 12 —

處,你能寬恕我嗎?

　　這裏也許有事情要發生了。但我却是個傍觀者,我因此很頹喪,不久,我將到別處,當有路可走的時候。我已閙得疲倦了!

　　以後再通消息,別了,我的朋友!

　　到明天太陽上來時,我用牠給你祝禱!

　　　　　　　　　　　　　月,日,於太原。

　　我寫完了這封信,又從頭看了一遍。我看見太陽上來了。風颳得越發兒暴。那豈只是風嗎?

　　風之大者莫若綏遠,我想到綏遠去。

　　　　我夢見我在追尋天堂,
　　　　一個老人站在我面前,
　　　　我從那老人的頭上望去,
　　　　我看見一塊地獄的門區。

　　　　老人指引着我走了進去,
　　　　我知道那老人便是上帝,
　　　　上帝走着在我的前面,
　　　　我知道那上帝呵,便是我自己。

　　　　　　　　　　－ 13 －

　　當黑夜走到兩點鐘的時候，我失陷在腦思的麻木裏，鐘聲同我的耳鳴及遠處一兩聲犬吠佔據着聲界的空間。我想着海鳥與駱駝。

　　我從 M 的門前路過時，我想進去看她一看，但我沒有進去。

　　我有些對不住 M，我在她的腦筋裏造出些幻想來，但我不能夠實現她的幻想。

　　她以為我是一個能幫忙她的人，我如何有那種能力呢？她所需要的是一個丈夫，但是我反對丈夫。我以為不幫忙，對於她所得到的，甚於幫忙。

　　我曾對她說過："離婚我可以幫忙，但是結婚呢，我是沒有辦法的。"她聽了很奇異，她說："那末，你是主張獨身主義的嗎？"

　　後來她知道了我的意思，她說她只願尋個生活的方法，將來為社會做事，但一面她又在進行結婚。

　　我有什麼生活的方法呢，對於一個沒有思想，沒有決斷的女子？

　　女子都是一樣的形式，她只是其中的一個。我將愛女子呢，或將憎女子呢？她們生下來便只為犧牲的嗎？然而她們又並不為自己犧牲！

－－14－

前天我聽得說她又在那裏找丈夫了，唉，我有什麼辦法呢？

女子，她可以叫做"一個丈夫的妻子"！

我想，她如見了我，她一定要派我做一個媒婆，我有什麼辦法呢？

我從她的門前路過時，我望着那門子，我在留戀着一個可憐的女子；但我很快的走過去了，我是在逃避我的債主呢！

在這裏躺着的那個女屍，這不是我殺了的嗎？誰呢，救我！

一個中等身材的女性的形體，低着頭像有罪的樣子，穿着家造的白鞋，如臨大敵似的坐在我的對面，黑眼鏡底下隱藏着卑怯的眼睛，羞慚，無力，一個縮小的生物，現在又出現在我的紙上了！

一顆月亮，是我第一次的收穫！

這是一顆真的月亮，她有清白的光。

我聽見綿遠的音樂，從銀琵琶上彈出來的，那調子在說：悠久！

我踏着月亮，放輕了脚步，像踏着透明的薄冰。我的脚點着水，脚心下噴起了溫泉，但不覺浸濕。

— 15 —

像在戰場中,樹木,樹木,樹木後面藏着的兵,樹木
和兵的影,影的動作,空氣的爆裂,嘛!

丁香花下立着我的雕像,我看着我自己的影,是兩
個人的影,風,香,沉默,夏天。

遠了,遠了,我始終走着遠路,遠到望不見我自己。

一塊墓地,舖着我的屍衣,跳舞者還沒有動身嗎?

我在水中照了照我自己,我看見我的圓的面孔。

今晚的月亮多豐富呵!後天,她要圓了!

空氣已和緩了一些,正太車已開行,這是個不好的
消息,我憤怒。

風是同我表同情的,牠怒吼着,不問明夜。牠像要吹
倒那頑固的和平。

我計算着我的行程——河南?北京?綏遠?上海?

我沈默着與風對語。風呵!你也計算過你的行程嗎?

行時不得不行,止時不得不止,除此外,什麼還是你
的哲學呢?

你把土石吞入你的肚中,而吐給那些不歡迎牠們
的人,這是你號叫的意義嗎?

你使樹木亂舞,而關軟弱的人們於屋內,這是你號
的意義嗎?

— 16 —

你號叫而使人不能懂,這是你號叫的意義嗎?

你使太陽失了光,你封閉月亮以灰色的金鏽衣,你使天空變色,電燈在你的威嚴之下睒鬼眼,這是你號叫的意義嗎?

風生於我的心,我將於何處獲得我的解答?

走呵,車開了!

咋夜我做了一個好的夢。

"愛的嗎?"

"英雄的嗎?"

都不是!是一個理想的現實的夢,我看見尋常的人都變成理想的了。

但我現在對於那個夢却並沒有什麼留意,我想起另一件事。我給她寫一封信。

親愛的!

我覺得我十分地對不住你,我有一件秘密的事,是我所認爲一生最重要的,而且我不願意對第二個人說的,我從未向你宣布過。我在以外人對待你嗎?這我如何能承認!但我又如何能不承認!事情是如此的,我常以爲一個人有好多的自己,因爲太多了,太變幻了,所以自己永遠沒有能夠以完全的

— 17 —

公開對待自己的，這我們似乎不應該說這是一種隱瞞，誰有那麼多的時間去防避他自己呢？

唉，我所愛！但是我總不能把這個頑固的念頭排除出去。我無論如何着想。我覺得對於你實在是一個罪人。

我那天沒有告訴你我便走了。你不會知道我到了什麼地方。這也許會給你許多猜疑，你會以為我——我如何能知道呢？

人誰能夠不把一些無可隱避的事不自覺地弄成隱避呢？我自己便是這樣的一個人！

我有十分的願望，把我自己完全獻給你，你有這樣收受一個或者在你是並不重要甚至於是討厭的禮物嗎？我若用冒昧觸怒了你，在我，這是同樣的罪過。

我時常在窺探你的心理，我的宇宙！我如何有那樣能力呢，既然我不是你？一切的隔絕，且使我們對面而看不見真面，這樣的時代已經傳說得太久了！

理智說：我可以照我所恐懼的停止了我的幻想，我如何能相信我的理智呢？情感說：我的願望是惟一的真實，不幸只是給怯懦的人所預備的逃難所,我如何能相信我的情感呢?我自己嗎,那個完全的我嗎?他便是這樣:他想着你而目注着別處!

我的心終日地游離着，我有時候簡直不知道我究竟在不在愛你。愛嗎?那只是我的夢中的遊戲，我還有別的工作要做呢!然而,爲什麼,我做着那些別的工作的時候，我又忽然會想到了你，而且眞的我想到你的時候，總不自覺地以爲你是同別人都不一樣呢?

我不能常看見你,這也許是由於我的制止，或者是由於我的懶惰，或者……但你却常在我心頭浮現出來，我有時以爲這樣的會合甚於尋常的見面萬萬,牠的本身不便是一首美的詩嗎? 然而詩並不能代表完全的愛,因此,我又常疑惑,我並沒有愛你,我只是愛着詩樣的東西。

我的——我應該如何叫你呢? 一個字,這是決定一個命運的字呵!

眞的,你常以冷淡,或者厭惡,或者周旋，或者敬鬼神而遠之的態度對待我嗎? 我時常在追求一些瑣事的意義,在我的思想上,一個針所引出的騷動常會像彗星所能做到的,因此,我便懷疑我究竟有沒有了解眞實的能力了! 在這個問題沒有解決

－ 19 －

之前,我將對你永遠失掉了我的能力!

你還記得你那次寄給我的那封短信嗎? 寫在那上面的寥寥數語,曾經被我如何地重視,我如何地努力要在那裏找見我的哲學,找見我一生的全部的工作呵! 我那時實在覺得那是你第一次用你的坦白對我的談話。在那裏,我一點也不能夠懷疑有意外的不好的分子在內。你,我數年來所懸望而不能得到片言以慰我心懷的一個美的女神,你忽然從你那沈默的寶座上走了下來,捧給我你的心看,你知道我那時是如何地驚極而顫,我是在發見了如何希有的珍奇! 我昏醉了,我倒在你的美的下面,我從最深的心底下宣告:我永遠是你的所有了!

但是,就從那時以後,我又被你擲在水中,這都是你所知道的,我還說牠做什麼呢? 這是我的過錯呢,還是你的呢? 我相信,你是不會有錯的,我只可承認那完全是由於我自己的了! 唉,那擲我在水中的,原來正是我自己!

然而,我終於不能不怨恨你,你的態度畢竟變得太快了。月亮變得太快,因為她美,是的嗎? 但我之對於你,終是一樣的態度,否則那是我太愛了你!

那一天,我無意中與你相遇,到我看見是你時,

— 20 —

我的心在警告我不要漠視了我所遭逢的。我幾乎
不敢相信那眞的是你。我只得偷偷地望着你，我覺
得我如被你看見，是我的羞耻，我是如何奇怪呵!但
我終於被你看見了。而且你對着別人向我說話,你
的話中,我本希望從那裏有所獲得的,却充滿了抱
怨及諷刺。你搜尋着最鋒銳的字句刺在我的傷上!
那時,你是一個精明的獵人,你知道所有殘殺的秘
奧,我便在那種情形底下,我失陷在無底的空中了!
哦,你,你曾有過藐視我的心理嗎?如其我不愛你,
如其你是另一個人的時候，我決不能讓這個人自
由地從我身邊過去!

是的,這只是一種艱辛,走着遠路的人是不怕
艱辛的,我不曾也給了你一些艱辛嗎?完了,過去的
一切都讓過去吧!

吾友!請你用你的原諒讀我的信,我寫得太亂
雜,連我自己都不知道我說了些什麼,你是有慈善
的心腸的人啊!

但是,我所說的秘密是什麼呢? 我曾經對你說
出了沒有? 這我自己,也不願意再去考較, 總之,我
還有給你寫信的機會呢!

此外,則請你放心,我並沒有佔有你的野心,我

— 21 —

所有的話只是在說其所不得不說而已！

祝你健康！

被你忘却的N，

月，日，太原。

我想起我的光與熱來，那是我的新時代的花，不幸牠是空的，所以我現在只能懸着我的望眼。

是的，女子愛我是件很難的事，我懷疑現在有沒有同我共感的女子存在，如有時，爲什麼她能夠無物地從我身邊走過去呢？

我所潛愛着的女子，是不是便是我的理想的女子呢？這只有待事實出現之後，我纔能够解答，只有事實是眞實的。

現在呢，我是有光而無熱，我是沒有靈魂的光，因此，我常癡望着天空而只送給牠以疲倦的眼神。我不能安心地把我的全部獻給我的工作，我常不能努力於我的目前而只希冀着遠方，這些，我的游離的心的寄託所，我的熱呵，你何時纔肯降臨我而爲我驅除了飄蕩着我的這些呢？

今天報沒有來，火車又不通了。我於是又決定了暫且留在這裏，但我的心已不知飛到何處去了！

— 22 —

　　C說我每天只講戀愛,太不急進,這也許是對的。但我自以爲我很急進,或者我把一切看得太嚴格了。我以爲,需要犧牲的工作只有少數有人能去擔任。人得到一些知識,那是能夠換取金錢和聲譽的,宣傳對於他們有什麼用處呢? 況且,這宣傳,我也不大相信,眞的,是那些自己起來的,宣傳,或者只是一種對於那些自己起來的人們的一些刺激罷了。我以爲,我所能夠的,只是給與人們一些刺激。

　　S說,他想當軍官,又想到鄉村組織一種秘密結社。我說:你還是當軍官去好了!S以爲我莫不在諷刺他,或者,我也應該受到同樣的諷刺,我把軍事看得那樣重要!

　　我並不反對農民和工人的團結, 是一件極重要的事,我只以爲這還沒有人能去擔任呢!

　　我們現在所缺乏的,是那革命的心。我們的民族的心太腐爛了!

　　天氣又暖和起來。風也停止了牠的吼鳴。軟弱的人們喜歡呵!我覺得寂寞,我的風也久已停止了!

　　又是太平景象,人們只唧咕着山海關的消息,切身的問題,已不很記得注意了。

我是個和平論者呢,或者戰爭論者呢? 我只是一個傍觀者嗎?

海子邊已經生了冰,我的心海呢?

我疲倦了,我還是到西湖養病去好嗎? 我的目的地又多一個了。

我可以休息三個月,其實再睡十年覺,醒來還不是這個樣子?我只怕西湖未必能供給我以休息。

我還是——咳,一切都靠不住,我還是無須休息吧!

"我想到西湖去!"我對F說時,他笑了。"到西湖一定有幾首好詩呢!"

但如有詩的生活給我過時 —— 我是需要生活的呵!

我看着我的路程,
在前面,
我望見一個人影。

請你待一會兒呵,
我的愛,
讓我們一路同行。

世界是悲哀的,我今天在一個地方看見W的像,我變成厭世主義者了!

她是那樣美,裝在我的詩中,她一定會跳動。她是應該為我而生的,那同她並肩站着的,你如何不是我呵?

我曾讚美過她:"你呵,你是藝術的化身呵!"我的朋友同她聽了都很高興。我却偸偸地藏起了我的眼淚!

這個世界簡直不是我所能享受一點什麼的,所以我每逢看見可愛的什麼時,那上邊一定寫着道:太公在此!

在她的身傍,也有太公在此,那正是我的朋友。我曾默默地對我朋友說:"我讓給你吧,看在友誼的面上!"但他並不表示一點感謝。誰知道我的這種俠義的行為呢?

我,真的,不可以奪去她嗎?

讓花兒好好地開吧,春呵!

接到一封四人署名的信,是P,H,Y,D。Y快起身了,我已經證實他巳到了北京。一切的疑雲,都從此消去了吧!

D是一個自命瘋狗的朋友,我走前只見過他三面,但我自謂我大致巳了解他。現在,他們又聚在一塊了。

— 25 —

因做文章,受了他未婚妻反對,他說:"寧可離婚吧,文章是非做不可的。"這便是他之所以流落而至非同我們要好不可的緣故。瘋狗第一咬壞的便是他夫人的腳。

"親愛的朋友!我很為你着急,你還沒有離了婚嗎?"P要汾酒喝,小弟弟帶去的三瓶已喝完了。

只有 H 沒有說話,我總不能在紙上聽到H的話。我想起他的時候,--定是先想到他搖動他的散髮時的那種姿態,我在小說上常見過的,那是一種美的姿態。H在我的朋友中是一個最美的,但我也並不是說他有如何美。他今年纔只十八歲,十年後他會變成什麼樣子呵!他的身幹細而長,我常想像他站在柳樹上的那種情況。我面對着他時,我覺着另有一個可愛的女孩子坐着在我的身傍。

但是,看呵!P醉了!他搖動着他的棍,嚷着:"打去!……打去!……打……。"

十年後,這一幅小小的畫圖會變成什麼樣子呢?人生是不可測忖的呵!

小弟弟,去吧!回來時給我們帶回一點禮物來,好奉送那賜禍於我們的祖國! 大西洋上有我的游蹤在浮浪着時,那便是我們聚會的時候呵!

— 26 —

聽見了人們的無聊的談話，我立刻覺着他們可殺，
但一閉住眼睛想起了一個最壞的人時，我又覺着他可
憐了。我對於人，用的是這樣矛盾的態度。

我看見 X 的一篇文章，覺得他實在是一個極慈善，
極純潔的青年，只是膽量小了一點吧。但我很愛他，我被
這個藏在紙後面的像所引起的幻象已經很多了。然而
我終沒有同他當面一談的決心，我以為見面時常是悲
劇的排演。我的愛，的確只是限於在紙上的嗎？我愛過很
多紙上的人，然而在現實上，我時常是不容易遇到。

我對於 X 如有不滿意的地方時，那便是他的家庭
的情感太多了。家庭是一個人最大的阻礙，牠幾乎能使
健足者望不見遠的路程。否則，X 為什麼那麼局促呢，在
他的才能上處處生花的？

如你不能坦然擺開手時，那你便痛苦地擺開手吧！
對於家庭，除此擺開手之外，誰還能夠有較好的策略呢？
我對於 X 所能致意的，也仍然只有這一句話罷了。

只要有一個健足者被家庭絆倒，那我便寧願看見
十萬人在我的面前死滅！

但我一閉住眼睛想起家庭時，我又覺着在牠底下
庇伏着的那些老人們實在太可憐了！他們都睜着眼向
後邊望，但照我的話說，他們將只能夠望見空虛！

— 27 —

誰能够救那些老人們呢?

我的眼睛望着前面,我的眼淚却向着後面流瀉, **儘着望,儘着流瀉**呵!

今天我的幻想都消滅了,我只想到西湖去,雖然我**路過河南武漢時**,我還想認識幾個朋友。

我在睡中巳經失掉了安寧,我像是睁着眼睡似的。我做的夢,也只是一刹那的。

我的身體安放着在的是什麼地方, 這樣時常要坍塌下來?近四年中,我還沒有過這樣的身體,無論我的心如何熱叫,我的身體總是冷冷地倒在一邊。我想,是我的歷史在作祟,看呵,那無窮的鬼!我只有那麼薄的一片歷史,牠巳有這樣可驚能力!

我在夢中,也常是同這些鬼們歡聚着。她們觸怒我,她們偷取我的血,但我終不能從夢中驅除她們出去。她們已變成我的主人了嗎?

一夜沒有睡得好,越發疲倦起來,我太疲倦了!

我希望看見一個勇敢的人,四處一望,只看見一些比我更加十倍疲倦的人。

在他們的瞌睡的眼皮上還遺留着腐爛的痕跡。他們偶爾走幾步路,那也只是怕餓死鬼活捉了他去,而且

— 28 —

像隨時都可以倒在路傍那樣殘廢的走路。

中國人是墮落的民族,而山西爲最。

我掉過我的頭去。

我還是想幾個朋友好點,卽如 L 同 S,便是一對很好的青年。

樸吶,直諒,憤激,這是 L 的品德。同他相反的是他的夫人 S。她是活潑,機敏,豪放,她是一個更富於男性的女子。我去年見她時,纔只十六歲,但她比我直到現在爲止所見過的女子都勇敢。我那時的心曾這樣惋惜過:唉,一個可愛的人又被 L 奪去了!而且我那時,爲了他們自己的利益,不得不勸他們早點結婚。我曾經受過人生最痛苦的刑罰。

一天,L 說了:"你把 S 帶到北京去吧!"我如何敢於帶她去呢?我又疑惑也許 L 在不滿意我。我時常用了過分的優遇,對於我所驚訝的人,這在男女之間,是最好的朋友都不免有所誤會的。

後來我走了不久,他們便結婚了。我一直還沒有看見他們在如何樣式地共同生活着,我只有遙遙地祝福這一雙純潔的靈魂了!

北代如有雙雁過,
南來請賜一紙書!

— 29 —

　　我將捨棄了綏遠,北京,而到西湖去,近來的心已經把我判決了。

　　不知道為什麼緣故,我確信再有一個禮拜京漢車一定會開到鄭州,我那時可以到開封去了。我在那裏住兩個禮拜,再到武昌住一個禮拜,再到南京住一個禮拜,我便到了上海。我還可以在旅行上消費我的兩個月的時間。此後,我便停歇在西湖,做文章,睡覺,做文章,睡覺,到我的興致恢復了時為止。

　　這不是我的天國嗎? 我能不能夠實現這個偉大的夢呢?

　　今天我到了 Z 的屋裏。今天是禮拜六,我預先便知道他不在家。差人也出去了,我自己開了鎖子。我於是做起主人翁了。

　　Z 的屋子比 F 的好, 因為有火, 而且今天也沒有人。

　　差人回來了,用驚異的眼睛看着我,好像在說:你的膽量可真不小!

　　是的!我的膽量比世界還大,我可以偷取他所有的一切而自謂那是我的權利!

只是差人太膽小了,他怕沒有提摸,開我了。

"先生貴姓?"

"我姓——"

我招了我的口供。他沒法,便出去了。這是一次勝利嗎?

但如我有了我的屋子時,而且我的屋裏有了差人時,我不可以警告他,"這是我的屋子,這裏不准有第二個人進來!"嗎?我聽見恍惚有一種聲音說:你永久不會有你的屋子!

我是這裏的主人翁呢!

我在這裏開始了我的活動。兩種有韵的和散文的音節給我唱着進行曲:那是火與時鐘。

　　　小火立在我的身傍,

　　　我悶坐在我自己的膝上。

　　　我親愛的燄花呵,

　　　你在想着什麼?

　　　你要知道我的語言嗎,

　　　請問你自己的煙!

　　我想起今天在街上遇見的少年詩人。他在太原像是埋在塵土底下似的，沒有人能看見他。所以他病了，我第一次見他時他正生着病。

　　他那樣年輕，却有那樣豐富的詩意，然而人們是並不知道驚異。

　　我正站在街頭讀他的詩，回頭時，他正站在我的身傍，於是我們都笑了。他是時常在守候着他的詩的，我那時想。

　　"你的病好了嗎?"

　　"好些了。"

　　他回去了。他的父親管束他很嚴，這尤其不適於詩人的呵!

　　我已找過他兩次，他連一次也不找我，詩人大抵都是那樣驕傲的嗎?

　　也許我要同詩永別了，好幾月來我沒有詩的情緒了。現在充滿了我的生命的，只是些，金錢，旅行，戰爭。

　　把我的希望，搬移在那些小孩子們身上，他們是純潔的生物呵!

　　我想找Z回來，我一個人坐得太悶，而且顯然是坐在別人的家裏，所以連什麼都寫不出來。我到什麼地方找他去呢?

　沒有人時,我嫌孤寂,同朋友們對談時,我却想像着一個寂寞的地方。

　出去找朋友嗎? 我同人能够談的話,都不是我要談的話。只有對着我的筆頭時,我纔能傾出一些我的肺腑,雖然那已是十分地隔膜了!

　但今天是一個不適於寫的日子, 所以筆頭顯得很笨, 牠只能呆着頭停在我的手中。因此,我又想起鈴桿來,我立刻便想起身走,好像一走之下便一切都能得到似的。

　走!走!我走了。但是,我只是走進飯館子去了!

　我回頭看時,他正站在我的身傍,他強制着他的笑容。今天他顯得很美麗,他像得到了什麼祕密的快樂似的。他是纔會了他的愛人出來的嗎?他有沒有愛人,他的詩是那樣淒咽,絕望,他一定是一個孤獨者。一個十七歲的少年,他已經熱中於愛,而又頹喪於無愛了。也許這便是時代的進化,我在十一年前時,我只知道痛恨我的新結婚的夫人。

　那時,站在我身傍的,正是一首詩;牠有薔薇一般鮮豔的顏色。當微風從那裏經過時,牠歡喜地呈現出牠那

　　　— 33 —

含著朝露的笑靨。祝這朵花在詩人的心裏永遠開放著吧!

也許我已經做過一首好詩了。在我回到太原之後。到明年春天來的時候,我願意看見一個更好的春天。於是,我所信為是眞理與經驗都畫了諾的那個 "擔心些,那是一個幻想呵! " 的教條,我不願再把牠述說了。

這是一個死的國,這裏是沒有可愛的! 有能夠保持住他的高尙的心的人,那是如何希有地可貴的呵!

我所希望的,大概只有一種人可以做到。那便是一個眞的詩人。

我懷疑我是中了邪, 我的生活完全是無意識的衝動。我時刻要想,我酷愛動作,我一切都走的是乖僻的路徑,這些都是中邪的證候。

我有時也想,也未嘗不可和緩一些下來, 一切還不永久是這樣?但我終覺着只要那樣一想,我已成為墮落了。

或者我的父親的計畫對的,當我十五歲的時候,便住了法政學校, 現在我便可像他似的做那小康生活的承審員。但我現在如想幹一件每月八十元的差事,也並不是辦不到的事。只是我自己要派定我受苦。

我的施捨,在人們都認爲多事,都像不需要這些。而我偏要強自寬慰,我是爲着那些未來的人們。他們不會同樣地認我爲多事?

我的伯父常抱怨我沒有能夠把家庭弄成一縣的首戶,這是他出自心底的抱怨,我小時他反常地愛我,我所報答他的是如何的巨創!

我現在如能給家庭賺回一百元錢去,我的母親的病也許會突然好了,但我却把這些時間用在那無用的行動和討人厭的文字上了!

我也不難叫我的夫人傾心向我,她做我的一個完全的奴隸,她享受那無上的奴隸的幸福,但我給與她的却只是苦命。

我的生活是這樣:犧牲自己,而且犧牲別人,而且犧牲的正是那些畜我如聰慧的獵犬或尊我爲慈善的天神的人。

其餘的人是需要我的力量,拒絕我的思想,正如 K 所說的。但我因思想太多之故,我的力量反而減少了。我因此覺得對不住人,而且我有時竟想全殺掉他們。

力量嗎?力量只剩這些了!F 叫道:暗殺呵!P 叫道:暗殺呵!我也有時想道:暗殺呵!

我從失眠的牀上起來的時候, 我只能寫這麼一些

— 35 —

東西。

接到從北京寄來的幾封信，一致催我回北京。我也久已想走了。京漢車，正太車，兩頭都開不到石莊，我不可以像郵件似的，在兵的監視中起一程早嗎？

或者，住在太原，住在井陘，都一樣。

P和H在望着我回去，P的是慘苦的微笑，H的是真的嗚咽。我的心在微笑着，在嗚咽着，在——我不暇理會在怎麼着。

北京是一個陳腐和債務編織成的囚籠，但那裏失陷着我的朋友。我能夠不自願地回到囚籠中去嗎？

親愛的弟弟們，我要回去！我要回去排解你們的寂寞，分享你們的痛苦！

這世界是個什麼勞什子，打碎牠呵！

我大概是命定了，我要保持着堅忍去安心於那遙遠的工作了。眼前的一切，請你們棄我而去吧！

小弟弟已從北京起身了。他像是不辭而行的。痛苦使他失了孩子氣的樂天。他痛苦，P痛苦，H痛苦。

他臨去時寫給我信，勸我快快回北京。

那不是三個禮拜前的一個早上的景象嗎？我看見

— 36 —

他在車上流出眼淚來，我連忙又跳上車去，握住他的手。他放聲哭了。眼淚在我的眼中跳躍着，我強制着竭力安慰他。他說：「你趕快回北京去吧！並且你趕快到法國去吧！」那不正像是剛纔所看見的景象嗎？

車開行了，我纔跳下來。在那些送行者中，我遲疑地退在後面，我讓我的眼淚自由地流淌。走着，走着，出了車站，我再也不能够往回走了。我遲疑地向着傍邊的曠塲中走去，我的眼淚自由地流淌着，我聽見 Z 在後面叫我的聲音。突然有人抱住了我，是 F，我放聲哭了，正像我在車上所看見的景象。

我回到 Z 的屋裏，他給我買了酒來，我喝了。我不知道我喝了多少，到我知道我在睡着時，是下午三點多鐘。

於是小弟弟又走上京奉車了，於是他不願意他們送他行。

看我們這般軟弱的英雄！ 我們的力量便只剩眼淚了嗎？

江灣小住的小弟弟呵！ 到你看見大西洋上的浪花在飛濺時，太平洋上的浪花也在同樣地飛濺着呢！

我出去尋錢去，我只拿得空手回來，好像我正是從談天回來似的。我很後悔不該把 T 送給我的十元錢隨便溜掉。

一切都沒有意義，末路的思想都齊集在我的眼前。E又在給我寫照：一切都黑暗了！

我竭力回想一些較爲愉快的事，雖然那仍然是苦楚，但我只想那愉快的一面。例如——

R唱給我的讚美詩，那是一個大的光明，雖然一刹那便消滅了去。

或者，X的熱誠的要求：我正期盼着！雖然也已冷寂了。

或者，B在沈吟着我的詩。

或者，使我心跳的O的眼珠。

或者，A的粗豪的命令：N，給我叫三鮮麵去！

或者，W在玩着貝殼——

我不見W已三個月了。她的姐姐要我給她帶束西去，我只爲了這一點職務，還沒有十分充足的回北京去的理由嗎？也許她還會給我玩貝殼耍呢！

我今天又詛咒起藝術來，因爲牠不能夠給人以一條可走的路。但是，什麼能夠呢？這是——這是——什麼都不能夠的，因爲牠們比藝術更其低能。

革命，革命，我們何嘗不正在需要革命呢？但那些聽

— 38 —

明人們却以爲他們已在革命着了。需要一隻手去創作的，比那需要一千隻手去創作的，不只容易到一千倍。藝術家於是產生。但他們有點忘記了本來的面目，他們從那藝術上却找出互相仇視的理由。

革命，科學，都可以供給互相仇視以理由，因此，他們對於他們自已的工作却都荒廢了。

世界像是被火燒着的一所院子，放火的人在爭吵着，救火的人在爭吵着，被火燒着的人在爭吵着。

什麼都不幹嗎？人想救出自已，他便只配，而且不能避免去做一個被火燒着的。但我現在倒正願意被火燒。

我這時回看那些我日常所重大視之的，我失笑了。那些都是沒趣的把戲。到我重新估定一切價值時，於是那一切都沒有價值了。可知所謂哲學家者流的話，其本身只不過是在騙人。

詩人是沒有的，我們不要讓善哭的人去賣弄才華，那是可鄙的行爲。

犧牲者是因爲自己不願意活着了。我也時常在厭惡生活，所以我讚美犧牲。

被人壓待的人，他希望別人也被人壓待，這是同情的來源。

一切都是黑暗，只是，當我們看見那一塊大的黑暗，或者也可以說是小的,在異常地衝動着時,我們誤認那是光明罷了。

給你一塊糖,向我笑一面!誰不是很和氣的人呢?

我詛咒生活,但並不是故意。

世間只有一首詩,只有一個眞理,只有一件是値得叫做革命的,那便是人類的大滅亡。而人,却只是坐以待斃的蠢物。

住在北京也沒有趣味,或者還是另找一塊地方好。P是可以自由行動的,只是H被家庭絆着,而他又十分不願意我走。我從前曾有過同他共居江灣的計劃,但他被家庭拒絕了,他只急得壞叫。他有叫家庭供給他留法的希望,所以他不能太早地實行他的戰略:偷家庭的錢。我爲他應該留在北京。

小弟弟只帶了四百元錢走了,後事如何? 我爲了他應該賺錢。

爲了別一種緣故,我應該到軍隊去。爲了別一種緣故,我又應該去隱居。爲了別一種緣故,我又應該作留法的籌備。爲了別一種緣故,我又應該著書,辦報。爲了別一種緣故,我又應該墮落。

這些都是不通的路,因爲是太多的路。

── 40 ──

或者,我還必須住在那無趣味的北京嗎?但這些,還是較遼遠的未來的事。目前是,我如何走出娘子關去呢?

親愛的小弟弟:

按到 P 和 H 的信,知道你巳經從北京走了 現在也許你巳經坐在太平洋的船上, 因為他們的來信在路上就誤得很久, 我應該寄信給你到那裏去呢?

我的照片,你偷去了,這在我很幸福,我幻想也許我的生命也一并被你偷去, 帶他到那我所久欲去而不得的一塊迷戀人的地方。

你巳經看見過 V 了嗎?他還是那樣的精神,他說話的時候還是常把他那拇指要挑起的嗎? 他得到愛人了沒有,還是明年決定了再到法國去呢?

你的旅行生活如何? 自然你現在所所儲蓄的痛苦巳經很多,你自然不會有忘掉的時候,可是在旅行中,你至少還不能得到一些爽氣嗎?況且,太平洋的水, 尤其可以把所有一切都形容得像芥子一樣的微小的呵!

H 說,你走時,不讓他們知道,他因為沒有能够送你行,很苦。你還要到天津給他寄信呢!你的不安定的心,你的這種反常的行動,我聽得已經戰慄了。可是你終不應該這樣對待 H,我怕他是不能够經受太多的打擊的呢!他來信說,東安樓自我走後,他們只去了一次,三層樓已關門了!這在他便有無限的悲哀,我也覺着有什麼秘意在裏邊似的 —— 我又知道,你到北京後,也沒有同他們惠顧我們的東安樓一次!

火車還沒有全通,所以我還留在這討厭的太原。有人勸我回家,你說,這夠多應可笑呵!至於,我所進行的事,我只完全停止了三個禮拜。這裏的人們,對於我們的工作,一點也不以爲重要,如何能够要他們幫助?我看了那幾個較爲闊綽者的面孔,我的心已經冷了,我再沒有狠心去找那些窮朋友了!可是,我如其曉得那種淫蕩的生活時,他們倒很樂於掏他們的腰包呢!我從此,又得到一個覺悟,我此後不願意再向人祈求了。一切都要從我們自己的手裏弄來,我決意犧牲一切去開始賺錢的工作,大概P也有這樣決心。但是,如有人要希望我的幫助嗎?我將要叫他在我的面前跪到一百年以後!

T 送了我十元錢,是給我買衣服用的,中途被 Z 扣了二元。我現在已有帽子可戴了,但因爲酒鬼

— 42 —

時常跟在我身傍,所以我還沒有脫得了夾衣。倒虧
Z 的好意,給了我兩件舊衣褲綁,這是可以鄭重報
告你知道的!

P 和 H 都催我早回北京,我將一個大也不帶
地回去嗎?我巳決定這樣辦了,我也許三兩天便走,
到火車不通的地方,我預備起一程旱路。

可是,小弟弟,前面的世界是很敞亮的,你也不
要太悲哀吧!到了你的目的地後,你只可用全力於
你的工作,我明年也決意要去了,讓我放開大聲說
一句話吧:十年後的時代是我們的!

你帶去的那一點可憐的旅費,怕只夠三個月
用。你把那邊的情形告訴我好了,這是不會阻止你
的興致的!

此外,則我在太原,也還得到了一種意外的驚
奇,我發見了一個十七歲的少年詩人!

餘——再談了!

祝你的勝利!我們的勝利!

　　　　　　N,我們一同出京的後一

　　　　　　　月,於 C,F 的屋裏。

P;

　　來信都收到了。我也想趕快回去。昨天我本打算找二十元錢先給你寄去,但是,我找了兩個人,一個是沒有找下錢,一個是沒有找見人。因此,我今天便只能給你寫一封空信。

　　別一方面,我曾託一個朋友給你匯一些錢去,他來信說已經匯起了,只有幾元。不管多少吧,這是我們的惟一的資本呢!

　　從這些上看來,我可以無須對你說,我的計畫完全失敗了'吧! 這是我們時常可以聽到的話,所以,我也相信你並不會受一點小驚。事實很表現得明白,我們所處的是完全孤立的地位,我們得不到人們的幫助,也不必要人們的幫助,讓我們挺起身子來擔當一切吧, 這是在需要我們用更大的力量的時候呵!P,我們無須保守我們的窮的財產,我們現在是該犧牲一切去撈摸幾個錢去, 給我們的孩子買乳吃。那些勢利的人們嗎? 待我們的孩子長大成人時,賞他們一點小便宜,他們那時總學會給我們笑呢!

　　L 所編輯的報,我看見了,我第一句要同你說的,是那塊地盤太小,我們從那上邊怕只能找出紙煙錢。

— 44 —

此外也沒有什麼大不了的事，可以無須多說。

祝你同你的棍幸福！

見了瘋狗時，說我問他好。

　　　　　　N，月，日，於無地。

H 弟弟：

你的信給我以愉快，因爲上次我接到P和Y的信時，你連一個字也不曾寫，現在我已得到補充了！

你爲什麼要那樣難受呢？Y 是一個海闊天空的人，他有征服一切痛苦的能力，你何苦要爲他難受？

寂寞嗎？你多看兩次 Les Miserables 好了，那裏你可以找見很多的好朋友，而且那並不是小說，我們不久便可以親眼看見那樣的人出現，我們的新時代是快來了呵！

你聽 Y 說我在這裏很苦，你知道，我無論什麼時候不是很苦的嗎，這算什麼？但是，我們見面的時候不遠了，也許就在幾天之內。

我不願意再在北京，但你又不容易走動，我將如何捨你而去呢，那樣需要我在着的你？我也許終於會留在北京，唉，親愛的小友，我不知道我將何以自處！

我走後，你們只去過東安樓一次，雖然我曾勸過你少去，但這在我，却是一個引起我無窮的悲哀的消息。什麼緣故，我是說不上來的，人生有許多事實都是說不上來的，而且這些纔眞是重要的事實。

拿起筆槹吧，弟弟，我又要這樣勸你了！並且，你不會失望，牠能給與你未曾有的力量。

待我到北京時，我們一塊到北海去逛，那裏的景象也許越發蕭條了！

別了，見面時再談！

祝你努力！

老大徒傷悲的 N，於娘子關內。

K：

我今天一計算日子，我很吃驚，你回去已經兩個多月了。母親的病好了吧？

我回到這裏已經一個月了，但你不要告母親知道，因爲我不回去，怕她傷心。唉，我有什麼法子呢，除了默默地禱祝她快快病好之外？

我不兩天大概要起身，大概是先回北京，雖然我急想去河南。我很痛苦，我時常不能隨我所願意

— 46 —

的到什麼地方或做什麼事，然人生不便是這樣嗎？我們從別一方面奪回過我們的自由，但我們終竟不能夠私藏起牠來，所以我們又把牠送給新的主人去了。

外面的朋友，意思是叫你早一點出去，那些裏很需要你的，但是，母親也需要你。我應該如何主張呢？我想代替你去，但別一方面又在需要我，我應該如何行動呢？

這裏的朋友們大抵都忍耐不住了，都想跑出去。而且，現在也正是一個好玩的時候，我前天得到一個好聽的消息；那消息是在說你趕快出去，你現在還不能夠動身嗎？

革命嗎？我們現在倒不要輕易談革命了，我們只要能夠找到一點反抗的力量，我們便可以十足地自豪我們是真的英雄。純然屬於我們的時代現在還很遼遠呢！堅強地走去，不會有絆倒我們的東西，我們還都是二十幾歲的人！

路經陽泉時，待聽取我的懊惱的哀音！別無他話。

祝母親好！

祝孩子們都好！　　　　　　　　　N。

— 47 —

L:

　　近來看見你的幾篇文章，也許你的病已經好了吧？

　　你新近編輯起的日刊，我也曾見過一期，我只嫌那是一個小的日刊。現在是需要我們放火的時候，但是，我們何時纔能放起一個大的火呢？

　　七日刊停止後，聽說要改出半月刊了。我的意思是，倒不如大一點出一個月刊好。但是，這些都沒有要緊，我所傾向的，只要有一個大的刊物。

　　近來北京很熱鬧，可惜我沒得看見。我每天只望着我的故鄉的那個破城門樓。

　　這裏一切都黑暗，無可叙述，無可叙述。

　　一個月已經荒廢過去了。雖然，我在近兩禮拜內，也曾從事過一點小的工作，便是這一本小小的書，一個紅的心的寫照，寄給你，轉贈給有癖性的讀者。

　　　祝你並讀者的康健！

　　　　　N，一九二五，

　　　　　　一二，一〇，於太原。

—— 48 ——

生 的 躍 動

1

現在他啞然失笑了，他不能對自己說明，他究竟爲了什麼留在 P 城的。

就在一月以前，他在 T 城找到一件小職業，是這樣，教兩個小孩，吃飯之外，給每月二十元的薪水。這在他，也不能不說是比較合適的生涯了，他可以有錢喝酒，還可以買一點書，而且，還有時間可以讓他寫一些什麼。有三天的光景，他陷在一種極難委決的境遇中，終於他留在 P 城了。

一個月已經過去了，他自己呢，是一點也沒有發見他有留在這裏的必要，他對於他一月以前所決定的行動，再不能夠忍耐下去了。他自己嘲笑自己地問："我爲什麼要留在這裏呢?" 以下便是默然，因爲他實在說不出可信的道理來。

八月節快要來到了，他身上只揹着幾十元的債及一件布大衫，這顯然地，過節在那些有錢的人們是一個好玩的日子，他却沒有這種權利。他如何能跨過那節去呢?不然,遭他便應該想法子了！這法子眞是難想,因爲實在沒有什麼法子給他預備在那裏。凡可以抓出幾個錢的地方,他都抓了來,都從他的手上溜走了,他現在只剩了一雙空手。他只得去想那些別人的手,但這別人向來是專慣作怪的,他恍惚看見有許多的手出現在他的面前,那些裏邊握着錢的,都堅實地握着,像鐵錘都不容易敲開一點隙縫。那些向他公然展開了的,正是同他的一樣的空。

他想着,氣憤了：我爲什麼把我的手展開呢? 我的酒,我的書,我的舒服,爲什麼我都讓他們溜走了呢? 這些,我是該堅實地握住牠們,而且,我的一切,都是該堅實地握在我的手中,不讓牠們漏出一滴油汁去的。

他覺着,他實在有些被辜負了,他遺忘了一切,而希圖做出一點什麼來,但是,有什麼呢,除了把他陷在窮苦的生活中外,還有什麼是可以看見的呢?

他失望了,他厭惡人們。

他立刻想離開 P 城,到一個荒漠的地方去。看不見人跡,人也許會變得可愛一些。然他終於不能毅然走開,像有什麼在牽連着他似的。

"我總是這樣傻！'他想着,捧了一下他的胳膊,就像要把他的傻摔在地下。

── 50 ──

他只得走到野外去,在那裏,他可以騙他,他彷彿是到了荒漠中了。風們在那裏歡唱着,歌音拂在樹葉的皮膚上,發癢了,急得一上一下地打跟頭。他笑着,悲哀便從那笑的舌頭上進去,塞住了他的喉嚨。

這時,便有幾個熟的面孔,他摸索都可以知道那是屬於誰們的,給他跳了來。他像是躺在牀上,糢糊的眼皮上還留着夢的殘痕,那夢,已經被牠們驚得飛去了。他呆着看着這些面孔,紅的嘴唇在那下部開了縫,便從裏邊吹出死灰色的煙,吹出冷的氣息,沒有意義的言語,這些,正是他把他的時間全個兒奉給了的。他吸了一口冷氣,顫抖把捉不住地從他的身上滾下,他疑惑他是害了病。

"算了!算了!這便是我所做出來的,這冷氣,這顫抖!多麼偉大的事業啊,我的英雄!"他發狂以的譏笑着自己,連他自己都覺得這太刻毒了。

他想着,在一條河的邊上走着。柳樹在他的身邊相離不到五步遠地排列成一條直線,把影子擲在深碧色的水面上。太陽把金質的裝束賜給那些爲樹蔭所遺棄了的碧波,穿起松花綠的外衣。幾條釣絲,垂直地立在水上,水上起了一陣漩渦,釣竿便被那主宰着牠的一隻手提了起來,釣絲悠然飛在水所接近的空中,在牠的頂端

— 51 —

便看見一條小魚輕佻佻地擺勤着，舞着………這便是
一切，這些，他們倒都覺着是大有深意在焉的樣子。凄
苦的微笑飄浮在他的臉上，他像是着了迷，幾乎要失脚
了，却仍然固執地向着那在他面前鋪開的路徑上大踏
步走去………

2

在他的心裏像是藏着一些秘密，這是近來纔在他
的生活上開始了的，照例，這是很可以信爲是眞實的情
形。他不願意讓一個人知道。世間有一些事情，確乎是不
能讓人知道的，人們太輕薄了，他們只會在蜜酒中撒沙，
而眩耀他們的本領。况且像他那樣厭惡人們的人，這自
然更是一種決不能輕於啓口的密詔。爲什麼要讓他們
知道呢，那些可厭的東西！

的確，當他坐着的時候，當他在街上散步的時候，當
他睡在牀上的時候，乃至他在夢中的時候，都像有一朵
彩雲常罩在他的頭上。他的眼常看着內面，似有深藏的
神祕在那裏誘惑着他。有時候，他沒有看見什麼也便笑
了，有時候，却又無端地嘆出一口冷氣，有人站在他傍
邊，那便一定會以爲他發了狂。

他向來是這樣的，到他的一切都失了依據時，他便

— 52 —

常去造出一種幻想來以羈縻他那把捉不住的心神。心神，這是很可怕的，他不能够讓牠陷入無底的深淵，因爲他是那樣牢固地要牠時常在飛翔着。但這牢固也不是沒有鬆懈的時候，到他看見，或者說是爽直地承認，他那最小的希望都變成無物，便是那一切的缺點都幾乎像是一塊分不出界線的整塊的爛布的時候，倒臥降臨在他的身上，他覺着他的脚要失陷了。"這是很討厭的，我不能夠屈伏於牠！"他狠毒地想着，於是，便有什麼新的景象給他呈獻出來了。理想嗎？天才嗎？偉大的人類的愛嗎？這些都已被他破壞了。不是的，他是在懸想着一個真實的渺茫的女性。

他時常在需要着一種證明，以使他確信，他所以如此者是爲着什麼，但他時常是失敗了。爲他自己嗎？他覺着他自己實在不需要這樣，一杯酸酒，也便夠他享用了。爲着別人麼？那是些誰們，便是那些冷笑着他的熱狂，得意着他的失望，酩酊着他的酸辛的人們？他似乎並沒有從別人的手裏得到過什麼可愛的東西，如其有時，那便是需要加倍的報酬的。人們只在利害上打算盤，這便精了，他以爲一切他所想弄掉的東西正是從這架算盤上打出來的。

他於是便想到一個美的女性，那能夠用微笑保證

— 53 —

他的理想的,用接吻啓示他以人類的結合的預言的,用無目的的擁抱給他鑄造出不滅的坦白的胸懷的。

這是可以看見的,他到了幾乎要絕望的時候,他便開始了這種冒險了。這誠然是一種冒險,或者說,這是一種永遠要碰頭的瞎撞,但他有時候,又以爲的確一切都只是個瞎撞罷了。所不同的,也許是因爲這樣的瞎撞,在疲倦了的心裏比較容易漾起一些波浪來。

第一步,他是要找一個依據了。自然,他是探選一個沒有見過面的, 那樣, 他可以比較延長些看不見破綻。他可以在某個預定的期間把他的幻想完全嵌放在她上邊,在他的經歷之下,他幾乎不敢相信,這在他的幻想之外,還會有別的什麼出現的。

接着,便有一個造物,如他所幻想的,同他開始了生活。這是冥合着他的思想的,共同着他的感情的,直爽地能夠走進他的心的深處的, 像太陽般能夠光照着他的靈魂中所有的幽寂的角落的, 這便是豐富了他的生命,顚撲不破了他的勇氣,正像自然親手把牠的所有呈獻給他的那個地上的女神。

這樣的工作,他已嘗試過幾次,但是都失敗了。他像要走進一間新房子裏似的,但有的,他剛看見那個房頂而便掉過頭去,有的,他也眞的像走到那房門口,但他却

— 54 —

不溫和地進去,而在那裏怪聲嚷叫起來。他時常是把自己的手裏所放出的彩雲又用自己的手隨卽攝掉。他時常是那樣不安,他什麼都不能滿意,這是無足怪的,到他連他的這種工作都厭惡了時,一切於是又都成了空的,他簡直以爲這只是一齣滑稽戲,而又是自已自告奮勇去排演的,這夠多麼可笑!

他有時這樣想,如其眞有什麼有價値的事實在存在時,那是應該毫無蹤影地在一刹那間出現的,那是不應該仍然要經過什麼試驗,愬親種種繁瑣的手續如那些討厭的事實所必須經過的。如其有一個美的女性,那便是應該立刻便這樣吻抱着,纏綿着,沈酣着,生活着,那是應該超出了一切的限制的。

因此,他到了一切熟的面孔都消滅了的時候,到那一切的聲音都在他的院子的內外寂靜了的時候,到一切在白日裏纏繞着他的游絲飛散了去的時候,到他的心宛然是一張白紙鋪在他的眼前的時候,他突然便感覺到有響聲在外邊敲門,敲他的心的門,於是進來了,他不認識而却久已熟識的,正是那個他所叫做的美的女性。他看見那一片紙上紅了,眞的變成了奇異的雲……

"我走出世界去了,然而我確乎是住在世界中!" 他這樣不知其所以然地想着,像一切都不可能,而一切又

— 55 —

都可能的樣子,他的思緒從這裏游離了去,沈沒着,沈沒着,在不可知的處所。

3

　　他想像着他做家庭教師的情狀。他到 T 城下了火車,走進一所官僚的住宅裏去。他面對對着兩個官僚,一個長着鬍子,一個是光嘴巴,他同他們像極親熱的朋友們久別重逢似的,做出極要好的樣子。這便是說紙烟從他的嘴裏吸進去,接着又吹出些同烟一樣的言語來,煙和言語,周旋便盡於此了。他有時,實在覺着,同什麼人周旋,也不過是那麼一回事,只不過是隨着與趣吹出幾口氣來,時而再套雜一些歡笑進去,這樣,便到那裏都會變成一個上客。他時常那樣寂寞,他需要眞的吹氣,眞的歡笑,但是什麼地方找去呢?比如你,什麼都得不到的時候,你便覺着牆壁呀,石頭呀,樹木呀,都會成了你的朋友,你會時而同牠講說,同牠歡笑,雖然你也知道這是件極無聊的事情。朋友! 其實是這樣,人們只是些機械,你高興的時候,給牠買一些油進去,或者你扳幾下牠的某部分的機關,或者……這些都是沒有關係的事實呵!

　　就是這樣的,上客已經做成功了。這便是有一間很敞闊的房子, 把他停放在裏邊。爲了合適他起見, 他

－ 56 －

想像這間房子一定是摹仿他的一個朋友家的客廳建造的，裏面有一個小房間，他住在裏邊，兩個不滿十歲的小孩被配置到外面的大房間裏。那兩個小孩。自然其中有一個是女的，這是怪有趣的呵！她也許是年紀大一些嗎？不然！她一定是屬於那個小的，他可以常聽見那種天眞的'妹妹！'的叫聲。比如就在現在，他正坐在他的小屋裏看書，或者寫什麼東西，外邊便傳進幾聲蚊子的叫，這些念書的聲音，他聽得慣了，其實只等於蚊子的叫，牠是一點都不能夠擾亂他的工作的。猛然間，又有一種可愛的聲音給他飛了進來，便是由那個小小的喉嚨裏所迸出的嚷'妹妹！'的聲音，他立刻便看見許多美麗的東西，在空中飛舞起來，那時，他也許正在描寫着一個兒童生活，或者給他的女朋友寫信，於是，便有一種特殊的力量，像從天外飛來似的，蠭擁着，一齊都奔赴在他的筆頭尖上。

到他寫完了他的東西的時候，孩子們都走散了，聽差的開進飯來，這些每天幾乎是同樣的食料，雖然他已厭煩到一見了便會作嘔，然而他却並不理會這類事情。他也正像周旋他的主人似的，胡亂把這些東西開發了下去，他便趕忙走出外面的房間，散起步來，那像是特爲給他散步而預備的，或者，他在那地下打起拳來。這一

— 57 —

天,如其天氣特別清爽,或者颳起極大的狂風,他的心裏特別痛快,或者極度的煩悶,他便走出來到海濱逛去。他是那樣愛海,沒有牠,他像是沒有生活似的,然他却一向還沒有看見過海。他雖聽說過 T 城的海濱並看不見大海,那只是一些臭水坑,但他現在却似乎他已經看見大海了,而且海,有時候正像是無分乎大小的,至少,他在那裏嘆叫的時候,總可以聽見一種洪壯的回音。

有時候,他便出去到一個工廠裏去,這是人們都不知道他的生活上的一種秘密。他在那裏已經結識了幾個很好的朋友,他們是誠樸,義憤,機警,是上選的平民的戰士。當他們工作停了的時候,他們便相跟出來,到一個人們不大注意的地方,他們談着,他無意之間地眼睛釘在他們裏邊的一個短軀幹者的粗黑的指頭上……他回來了,他的女學生握住他的手跳着問道:"老師!今天海邊上你看見什麼好東西沒有?"他笑着回答:"看見的,一隻像鵝鳥一般大的白鷗!"

所有這些,他想像起來都很滿足,或者正可以說,這是他的地上的天國。然天國也不是永遠可以住下去的。於是,他煩躁了,三個月已經過去了,他需要像棄掉鞋上的泥皮似的棄掉他的天國了。於是,他便略不遲疑,只帶着一種對於那兩個小生命的戀戀不捨的心情,同節省

— 58 —

下的兩個足月的薪水起來走了。他到什麼地方去呢？S
埠嗎？H山嗎？或者一個沒有計慮過的村莊嗎？這有誰能
夠知道呢？

4

有很幾年了,幾乎是每夜,他做着一個頻繁煩夢,這
是他只要夢見一次便會痛苦到心底的。他時常在搜尋
一些方法,想把這個夢魔驅逐出去──的確,像是有一
個夢魔在那裏捉弄他,一見他把眼皮閉上了的時候,牠
便給他個防避不及而把一種東西貫進他沒有睡着的心
裏去──然沒有一次不是要失敗的。他憤怒地譴責着
自己,連自己的夢都沒有力量去移動牠一點,那還有什
麼用處呢！他能夠在白日做夢,做騰上天空的夢,做沈
入海底的夢, 這些都可以隨他的意之所欲為而去安排
就。但一到夜間,他對於他自己的生活便完全變成一個
傍觀者,或者說,他變成一個可笑的中國式的機械論的
信徒,他自己是無所用武,只能够呆看着那副機械在那
裏盲目地動作。這機械便把他的可怕的毒汁,在牠游戲
到疲倦揮手而去的時候,擲在他的心底,這毒汁,到了白
日,仍然看不見痕跡地盤據着他的生活的基址,繼續着,
增加着,他悲哀,他偏激,他煩躁,他以為都是由這種毒

— 59 —

汁作祟的。

他早上醒了的時候，揉着他的眼睛，好像他的眼中還存留着那種污穢的渣滓而要竭力去掉牠的樣子。 他幾乎不願意去想， 他剛纔所從中走出來的是一種什麼世界，這壓得他太緊迫了，正像他不須思索便知道有天空在他的頭上壓着。他糢糊地覺着，有些黑的雲霧零落地排列在他的腦後，在牠們中間，浮現出幾個爛熟的面孔， 從他少年時代便已認識了而直到去年秋天還看見過的。在這些面孔的左右，起伏着幾處房屋及牠的附屬品，都是同樣爛熟了的。就在這樣無趣的布景中，戲劇便開演了，吵鬧，吵鬧，吵鬧，永遠是重複地排演着的一幕戲劇。

這幕戲劇中的脚色，他已經在十年之前便同他們開始了疏遠，而且同他們堅決的分手，也已有四五年的光景了。雖然以後也曾有幾次遇在一處， 然而山林呢，池水呢，他不是也時常遇在一處嗎？如其做夢時，這是應該有一些別的故事，爲他所比較時常在重視的。爲什麼那些排列在眼前的，牠不去攝取，而特地去搜尋那些陳舊到腐爛的，而且不厭煩地温習那同樣的東西呢？他有他的朋友，有他的社會，有他的理想，有他的偶爾在幻想着的女子，有他的步步荆棘的生活，爲什麼這些都被牠

— 60 —

遺棄了，正像沒有其他可陳述的似的而必需要追溯那些先朝的遺蹟呢?這夢,他簡直不能夠明白,他的內的生命的記錄何以會顛倒錯亂到為他所預料不及的荒謬。

他有時候懷疑他的近代生活也許太不確實了,這在歷史上是應該省略了去的。然而,牠們的脚踵不是同樣地深刻地印在他的生活上嗎? 他不曾為了同樣過度的疲勞而失眠過嗎? 他不曾同樣折磨他自己而倒在醉中嗎?他的胸脯不曾同樣像鋒刃刺脊,他的神經不曾同樣像要被什麼震斷而常懷着發狂的恐懼嗎?然而,這些,統統都像是被忘却了, 像另一個毫無關係的人的身影被瞥了一眼而隨卽掠過去了!

生活便是這樣,那些他所不願意生活着的,都到他的生活中來了,那些他所不願意夢着的,都到他的夢中來了。

他便精細地檢查起他日常的生活來, 他把牠們一門一類地分開, 就像一個動物學家對於他所採集到的材料所做的。但在這裏邊,他找不見可以確實做他的夢的根據的,他只不過無意之間偶爾想到過牠們罷了。這束西的力量真大, 牠便會在這無意之間滲進他的生命的核心去嗎?他恐怖了,又像是顫抖起來,的確,不是他的身體,而是他的靈魂在顫抖了。於是。他明白過來他是

— 61 —

時常感到這種顫抖的，他有時簡直覺不出來，他也不
曾考慮過那是什麼緣故，但是，這却幾乎是時時刻刻地
像有陰風在看不見的黑洞裏向他吹拂着。便是在現在，
他也親切地感覺到，他憤怒地摸索着那些東西，他恍惚
便看見些熟的面孔，熟的房屋及牠的附屬品，正是他在
夢中所時常見的。"這是牠們！這是牠們！"他沒有聲響
地嚷了起來。"這在我的面前捉迷藏的，便是牠們！"

　　於是，所有他的歷史，便都平鋪在他的面前，這是一
具除了創傷之外別無餘物的屍骸，這便是從有生以來
便保存着，愛護着的那個生命的幼芽的遺型。

　　他想着，他是一直到現在都在被什麼包圍着。起先
他並沒有覺到，他的少年時代便從那種糢糊中夾雜着
幸福溜過去了。後來他發見了傳說，他於是厭惡家庭了。
後來他發見了家庭，他於是厭惡了社會了。後來他發見
了社會，他於是厭惡他自己了。他什麼都厭惡，於是包圍
着他的也便越發嚴密起來，而且分工了，那白天不能够
向他睜開眼睛的，便穿起夜殼的衣服進他的死海中去。

　　在一團漆黑的整塊上像是開了縫，這意義便是'我
應該如何去驅逐了牠們呢？我應該用什麼新的東西去
代替牠們呢？'但接着，立刻又合回去了。

—— 62 ——

5

公寓的老板走了進來。他一看見那一付笑容,心裏便着慌道:"糟了!外交家來了!"

他看見他的屋裏充滿了債。

"錢到了嗎?"笑容問。

像得了傳染病似的,另一付笑容立刻掛在他臉上。他注視着那一顆胖臉,却不回答,先點着一支紙烟。

"你不是說過幾天可以付一些錢嗎?"笑容愈加笑了,問。

"這兩天——我還沒有找到錢。"他像是理由十分充足地回答,却終藏不住有一種抱歉的神情要跳出來了。

"是這廳回事,外邊有好多的債,這不是,月底又快到了!"

"債嗎?好的,要債的是應該負債的!不然,你豈不太便宜了嗎?"他心裏想着,幾乎要笑了出來,却答道:"好了,過幾天我預備下好了!"

"好吧!趕月底你無論怎麼總對付幾塊好吧!"這是一種愈加殷勤的請求,同時也是堅決的勒索,說着,頭點了一下,便出去了。

他愈加猛烈地抽起烟來。他立刻看見他的屋子空了,連--個銅子都不見了。

過幾天!這不是還是那--個過幾夫嗎?然而,月底快要到了,這如何是好呢?其實,趕過節有錢,便什麼問題都沒有!然而,過節不是也快到了嗎?這如何是好呢?

他有些懊悔了,他不應該不給報館裏投稿,左不過是弄幾塊錢罷了,有什麼關係? 幾時曾有過義財給他預備着呢?他想着,立刻又憎惡起他自己來,好像這不是他所應該想的。幾十塊錢的債,橫豎也不會要了命,況且命又能值得一個銅子嗎?

他想着,又反轉來痛恨起那些報館來了。一首詩只給八分錢,真是氣死人!笑死人!比如,他開一頓客飯,便得兩角錢,客人走了的時候,他便必須做出兩首半詩來了,而他的客飯又那樣多,每天至少也得平均兩頓。他如何有那樣許多詩做呢?

因爲他不能做灰土那樣多的詩, 因此他便像灰土那樣的窮了!

他於是想起他的窮來,他的過去的和未來的,他尤其樂於去想那未來的,他如何一天比一天窮,債一天比一天多,直到他的屍首埋在那窮和債的堆積裏。

一支煙抽罷了,他又另換了一支煙抽着,從那死灰色的雲霧中,他看見他的繼續不斷的生命。

— 64 —

6

　　裝載着許多的人與貨物的火車蠕蠕移動了。但他的眼睛却只注視着其中的兩個人，由注視又變成遠望，直到火車失掉了牠的蹤影。這一天的火車，像同往常他所見的大不一樣,牠走得是那樣迅速，正像裏邊是完全裝載着火。夜已深了，秋寒從他的大布衫中侵入他的肌骨，然他並不顫抖，因爲有火燒着在他的心裏。正如他剛纔所說的，秋天的旅人要去做夏天的夢，涼意便都消散了,的確，在蕭瑟的晚風中踽踽的他，正在做着夏天的夢呢!

　　只有在他的手中，他感到荒涼，只剩有他自己的手了!他們因爲要共同走路,於是各人便走了各人的路。

　　他向着遠空凝望着。小屋的歡談,公園的漫遊,這些都那裏去了?遠空中，他只聽得見隱約的心的共鳴。

　　往事歷歷都復現在他心間。恍惚他們正坐在樹枝上,縱談着自己的和別人的故事。忽然，隔壁的院中坐着的兩個女人向他們擲來無須的驚恐的顧盼，陰謀於是發現了。接着，便是警察,偵探,屋的檢查,院中的巡視,氣憤的失笑。恍惚他又到了北漠,聽見客中呻吟的病人的聲音。蓮花中呈露出的窮途者的瘦影,酒杯中的悲憤…

　　— 65 —

…這些正像是昨天的事，但是，明天呢？這大概快要來了。

火車的聲音，又宛然在他的耳邊響起。那是神行者在空中馳驟，鳥中之靈在天外撲翅的聲音。這火車便載着兩個苦行者送他們到人世的下層，去享受那人世的最高的痛苦。

“僅只是一個小兵！”他突然像聽見從人羣中迸出的嘲笑的惡聲，他打了一個寒戰，但倏而又變成慘痛，悲欣與慚愧了。

“我以後不應該再那樣胡思亂想了，我必須把我的力量盡量用在我的工作上……但是，明天呢？這大概快來了………

在這所有的經過之中，他飲着熱淚，走出了車站。

7

生活之於他，變成一付兇毒的刑具，他再也不能忍耐下去了。同朋友們在一塊呢，他爲擾攘麻痹而疲倦了。孤獨起來呢，他爲寂寞不安而疲倦了。反正是疲倦，而且這疲倦逐漸蔓延，直到淹沒了他的所有的活力。

“生活爲什麼這樣無聊呢？”他像叩着一塊石頭癡忽地問。沒有能夠回答他的。

— 66 —

他一個人走出屋去,他看見一切都浮在空中,他的腳顫波着,像踏在船上,地常有失陷的恐懼,像是一顆流星,他同一切所信任而依據着的。"飛了! 飛了!"他心裏想着的常如此。"飛了! 飛了!"他眼裏所看着的常如此。

假如有一隻蒼蠅,飛在他的手上,他覺得再也不想動一下他的指頭了。這有什麼意義呢? 他時常在追求着意義,於是他便覺着一切都沒有意義了。

"生活是為生活而生活的,不是為意義而生活的。"他有時也這樣反駁他過,"那末,生活究竟是怎麼一回事呢?那就是說,為無聊而生活的嗎?"這聲音便接着詰問起他來,像藏在他的身傍特為給他以更大的打擊而預備的。

他不能夠這樣生活下去,他需要變換一種生活的形式,他不能夠從朋友們身上凝望着他自已的懶散的頹形,他不能夠吸吮着那些死去的安間的人們所遺留下來的睡餘而自謂窖酒,他不能追隨在女子的背後空望着她的絕無的偶然的回盼,他不能夠把華宴排列在雲端而焦急他而把他的饞吻壓在腳凳的下面,他不能夠攏着一雙空手而希冀別人的援助或自謂有援助別人的慈心,不的,他不能夠這樣下去,這些太不像是生活

— 67 —

了。

"生是同死而對着的，"他想，"一隻脚踏在生上，別一隻脚踏在死上，大概，只有這樣，纔算是正確的生活吧？"

加里波得的紅外套，突然出現在他的眼前，他以爲他看見的是一顆太陽。

他想着，如其他有這樣一件紅外套，而那上邊聚集了有一千個焦燒的窟窿的時候，他也許會建設起他的生活了。

恍惚便有一坐懸崖，挺然立在海邊。上面高聳着不盡的長空，下面深陷着無底的幽淵。他悠然立在崖上，在上升與下降的一刹那間的判決中，他享受着最高的悅樂。

"路徑大概便只有這一條了！"他想着，眼睛釘着他的前面。正像那惟一的路徑已在那裏鋪開了等候着他踏上去的樣子。

8

門響了，他睜開眼睛。現在是什麼時候，他不知道。他時常是不能夠知道，他在什麼時候從牀上起來的，也許可以說，那就是門響的時候了。但他知道，他每夜總在

— 68 —

三點鐘以後睡覺，因為他必須等着人們離開他的時候，外面的聲音，如二簧呀，胡琴呀之類的聲音都給他靜默了的時候，他纔能夠寫一點東西或者看一看書，這些又都是他每天決不能放棄的工作。他睡下了，所有這一天所經過的，都聚會在一起，好像變成一個黑團懸在他牀的上面。他閉着眼睛，然知道有物在上面懸着，不安的情調也越發緊張起來而荟萃於一點。他也不嘆氣，也不傷心，却只把凝視的眼睛睜開一瞬隨便投在無足輕重的地方。又合了回去，疲倦便降臨了他，他睡着了。此後，便是那個頻繁的夢的開場，雖然有時候也換一下場面，直到門響的時候。

他懷疑他的對於什麼都沒有與致，是不是因為睡覺不足的緣故。他每天平均僅只睡四五點鐘，他雖然也曾這樣理想過，然主張仍然是主張，實行起來有沒有破綻，誰都不能夠知道。況且，他也許並說不到是實行他的主張，因為他的覺醒是由於門響的緣故，而這門，又連他自已都不能夠說定是在什麼時候響的。

他在夢中自由地游泳着，倏地，外面伸進一隻手把他揪了出去，於是他的水便立刻涸竭了。如何懊喪呵，這隻手又不是一隻女性的手！

他接着便竭力去想像一隻女性的手，但是他只能够想像起一些平凡的手,他悶然地吹著氣:"我的生命,真的,涸竭了!"

於是,他便不得不承認,他是躺在牀上,被一隻平凡的手拉起來,他圍著被窩坐著,像從水中拉出的雞,浸濕的羽毛還淋漓著剩餘的點滴。嘴被敲了一下,他說話了:他不知道說的是什麼。眼睛惺忪著,像一半閉著在夢中,一半睜著在日裏。他像是沒有滿期的囚徒從監獄裏跑了出來,不是由於他自己的脫走的計劃,而是被典獄官捉弄以裝潢什麼把戲似的, 他感到有比在幽囚中等候著命運的時候的更大的忐忑。忽然,便是一種酒杯落地的響聲,他的在那裏裝著美女的像的酒杯被打碎了,他的希望,他的幻想,他的詩的美,都像在這一落之下被打碎了,這是他的一個朋友的手打碎了的。

"我的手那裏去了?"他疑問著。"我是該關住我的門,我是該把我所需要的捉了來,把我所不需要的趕了去,我的手那裏去了?"他想著,看了看他的手。那同樣是多麼一隻平凡的手啊!

他擺開他的手,呆坐在牀上,許多的手從開著的門中伸了進來,都像要抓住了他。牠們爭先恐後地嚷著:"給我你的三點鐘的時間!………給我你的五錢重的詩!……給我你的銀樣的夢!……給我你的紅的火燄!……

— 70 —

給我你的最後的敬禮!"他聽到這最後的要索,這怕是從死亡那裏提出的條件吧,他無聊地笑了一笑,想道:"那還遠着呢! 我的敬禮還怕沒有只剩下最後的一份給你留着的時候呢!"

今天,他又是這樣醒了。他的一個朋友進來同他說了幾句話又起來走了。他停放在被窩底下,計算着他現在可不可以起來。他仍然是很瞌睡的,但睡的希望是不容易有了,因爲他已經被驚醒的緣故,況且這也已經成了習慣了。起來呢?他的紙煙都抽完了,窗沿上只存着一個銅子,不抽煙的生活,一點鐘,不可能! 他又怨恨起他的朋友來,他把我驚醒,便應該讓我能夠醒了下去,這太無理取鬧了!

胡琴的聲音,又從那淡青色的空氣裏給他傳了過來,這是報告他以世界上可有的消息的。他的計算已不知道丟到那裏去了。他眞的像變成一付機械,忽然從牀上跳下,被什麼把大衫給他披在身上,三脚兩步地跑出了門去,不知道到什麼地方去了。

就從這一天起,P城裏沒有人再看見他的蹤跡。

— 71 —

最後的著作

一切事情都應該有個結束，現在，我是到了結束我
自巳的著作生涯，也便是結束我全般的生涯的時候了。

當我的筆厭煩地又握到我的手中的時候，我覺得
一切都變得特別荒涼，我知道我的這件玩具牠隨着我
一生時常迸出火和光來的，牠現在會給我玩出如何殺
風景的把戲，便是我的生涯將要斷送在牠手裏的。

我今天下午纔到了這裏。這是我生平所常神往的
一座名山，我不願意寫出牠的名字。但是我今天纔能第
一次來享受牠，卽此一端，已足令我感概我的八十七年
的生涯完全給白過了。現在，我便是要面對這種浪費的
最後的一擲。

我是這樣，帶了一支手鎗——我的五十四年的伴
侶，同我的最親愛者同時進佔了我的歷史的—— 一支
筆，一本稿紙，我跑到這裏。我的出走，一定會惹起許多
人的驚疑和猜想，但是他們永遠不會知道我的祕密，我
的她，現在也許陷在極度的苦腦中，我有什麼法子呢，當

我一切都已感到無足輕重的時候?

我一到了這裏,便拿起我的筆。我很驚訝我何以連一點賞玩這個多年形諸夢寐而直到現在總能一睹其面目的名勝的興致都沒有呢?除了我所走過的路,我什麼地方都覺得不需要去。在這裏,同在一個平凡的村莊裏,乃至一個最污穢的所在,我一點也找不出區別來,只要能夠容得下我的筆同鎗在,我以為都是同樣的天地。

自然,我的生涯是白過了的,所以我覺着今天的死,正同我初生下來便死是一樣。我從前曾悲悼過我的孩子,他是在時間裏只有過一點鐘的活動的,但現在,我覺着我同這個小生命所負的正是同樣的命運,而且我再不能夠悲悼我自己了。

我想起昨天集會中的情形,我為什麼還想到這個呢?除我以外,那時候,誰還知道那便是我一生中最後一次的集會呢?我當時,看見許多的手都向空中舉起,我一點也不以為這仍然是屬於歡迎一類的表示。我以為,我當時是站在一座冰山上,除冰山和我自己外,我再也看不見什麼。我想來,我是快要完結了。但我並不傷感,我看見我自己的末運正像我看見一塊石頭要從山上掉下的一樣,這只是一件尋常的事情。是的,當石頭掉下山去

— 73 —

的時侯，誰能夠在那中間發見在石頭掉下以外的其他的事實呢？

今天早上我沒有看報，我沒有閒情再理會牠上邊關於我的有如何記載。其實，也不過是些照例的條文，真的新聞，連我自己都找不出來。也許我今天倒可以供給他們一件新聞，只是這對於他們有些太無趣了，雖然以為有趣的人一定也不在少數。我想，明天一定會喧動了我的失蹤的消息，到後天，他們便又明白了我為失蹤是如何的失蹤了！

他們將要有如何的表示呢？這個問題，我現在大可以不必加入討論，這完全是他們的事情。真的，我現在覺得一切人對於我都是外人，連我自己在內，連我的最親愛者，連我的多次出生入死的伴侶們。這也許一向便是這樣，無論人們如何獻我以無上的榮譽，但我自己，却一向沒有快樂過。我不以為人與人之間，有密切的關係的存在，或者相互決鬥可以說是一種真的密切的關係，此外種種，便都是委蛇委蛇。

誰能夠在接吻裏邊找到愛呢？讓那些自欺者們去做歡樂的好夢，實際是，一切都只是機械式的碰術罷了。人類因為是愚蠢的，所以無中生有地要想在的碰術中找他的愛憎，而他終於是得到憎，或者憎而自以為是得

— 54 —

到愛,科學,革命,那一個是能够超出碰壁之上的呢? 我沒有碰死, 這便是我沒有犧牲給那長期的奮鬥的完全的意義,而我現在卻在要碰死了,這些,都一樣!然而人們偏要讚美我的成功!然而人們偏要哀悼我的失蹤!

近三個月的生活,正是達到了我的生活的頂點,上的上面再沒有上了,因此我便應該掉下去。我所多年在追求着的,我把我的數十年的心身放在地窖底下,我寫的便是這一段月牖。很幸福的,我居然達到我的目的了。但是,我在這三個月,也曾把我的心血嘔吐干淨,以至我的生存的欲望也都隨之以俱去。如有明白我的人,他一定知道這只是我的痛苦的頂點,那我所快樂地矗立在上面的。人生只是痛苦,可惜明白人終是太少!

沒有一個人問過我我的成功的祕訣。人們都是那樣傻頭傻腦地,當他們碰見一塊肉的時候,他們的惟一的責任,便是吃掉那塊肉,此外一切,他們便都不去理會。這好像一切都正是他們分所應得的,我在年幼的時候,常聽說討吃子的議論,他們互相叫道:孩子們給我們做下飯了,我們吃去吧! 這樣議論,可以無論應用在那一個人身上,都恰合。

社會的成功,僅只是個人的失敗。我自己的失敗已算到了最後一次了。完美的社會，我只可讓給他們去享受，因爲他們正像是分所應得而且他們能够認眞做完美的。我嗎?我什麼都不曾得到，或者我所得到的僅只是這一卷最後的著作。

施捨，施捨，我的一身都把來給施捨出去了。凡我所需要的，我得忍着肚皮。讓人們自由去採選。人們所需要的，我得忍着肚皮，給他們尋找得來。但人們都像不明白，因爲我沒有看見過他們有一點抱歉的表示，雖卽是只一點抱歉的表示。這不知道是由誰判定的，我來到這個世界是專爲着犧牲的，我的責任便是變做一座橋讓他們從上面走過去，他們那樣卑怯，那樣苟得，他們只知道漁人得利，你不要妄想他們爲了他們自己的利益會榨出一點油來。我的工作，便是爲着這些人們嗎?我的工作是不是只是我的罪惡呢?

我的精神雖常健壯的，但我的眼睛却太蒼老了，我從我年幼時一直到現在，我只能够看見過無窮的小孩子。眞的，一切人都是小孩子，他們只知道享受，而不知道那所享受的來源。在我的眼中，小孩子是一個罪人，雖然我在別一方面也喜歡他們。

在我的思想中，獨居的生活，戀愛的生活，是一切生

— 76 —

活形式中兩種最好的。把我的時間完全獻給我自己，或獻給我的愛人，只有那時，我纔能夠相信我自己是獨立存在的，我可以完全享受我自己。但是，我雖然在實行着我的思想，而且我是一個鮮明的思想卽實行的主張者，然而，那些屬於我自己的幸福的思想，我一點也沒有得到實行的機會。我在忙亂中斷送了我的一生，我的時間，這一段被 A 佔據着，那一段一定已被 B 預約了去，我不是一個整塊的東西，我時常得違反了我自己的願望，把我切成許多瓣子，分送給那些需要着牠們的人們。我的活動，便是這樣消費了的，直到今天，我纔能夠一個人活在這裏，我將永久活在這裏，雖然我已經快要死了。但是，愛，愛，……我不能夠想了，那於我是太大的痛苦。

我的愛，在我三十歲的一個夏天認識了她，在我三十三歲的一個冬天同她開始了共同的生活，同我相處五十四年，我們可曾享受過一天那是我們的完全的日子嗎？我們時常在等候着，當我們被什麼牽連着的時候，我們時常在期盼着別一個時候，但是，那所謂別一個時候者，誰能夠給我們證明那是實有的時候呢？我現在竟然有些後悔了，我後悔我臨走的時候，何以不通知她一下，那樣，我們倆可以一同在這裏完成我們的戀愛生活，雖然我那時有不通知她的十分充足的理由。

— 77 —

當我想同她握手的時候，她的手却被一些討厭的束西佔據着，或者我的手在寫什麼，或者我在多人聚處的我的屋裏並看不見她的影子。而且，許多許多次，我只能看見她同別人對立着，我在另一方面，也只同別人對立着，正是世間有一種最兇暴的力，牠把我們強蠻地切作兩瓣，一瓣分給一些人享受，別一瓣又分給別一些人，而我所看見的，便是這幕悲劇的排演。

人類的生存，只是一幕悲劇。但是，那應該由我去排演的一幕，現在是要閉幕了。

歷史是一個什麼束西呵？我很苦悶，我如何能够把那些所有關於我的歷史都一幷帶了去呢？那不是造謠式的誣傷，而是根據了我的事實去侮辱我，我詛咒這些事實！那些述說我的歷史的，他們沒有兩個人有相同的記載，而且他們沒有過一個人所述說的是沒子錯誤的。一個人生了下來，只要去更正他的歷史，我已覺得日不暇給了。然而，我有時竟還須裝出像十分感謝他們的樣子——我當時如能看見自己的那種可笑的樣子，一定會發笑——正像，我如不然，他們便會很詫異地責備我："你爲什麼連我們的話都不相信！"

我死去了，而讓我的歷史活着；我的眞的歷史同我

— 78 —

一幷死去了，而讓別人所裝潢的我的歷史永存於我的死後。

也許正在今天，正在此刻，便有些消閒的先生們在圍聚着談說我，於是在他們的純然無要的開心中，我已被宰割了。

這都是沒有法子的事情，而又都是我所最痛苦視之的事情，我現在還可以很清晰地看見這些舊有的痛苦的面目，這些幾乎無時無地不在追隨着我，不在增加着包圍着我的面目。

在別一方面，我回望着我的歷史——我的真的歷史——我吃驚了：為什麼牠們正同我在少年時代所唾棄過的一切的歷史陳腐到那樣相像呢? 這些，是我當時用如何的謹愼，如何的勇敢所織成的一幅鮮花呵! 我用了如何新的理想想把來去代替那些舊的，我想在那黑夜的天空中，在那連星也沒有的全黑的天空中，放一顆太陽在上邊。但當那顆太陽剛一被我放在牠所當去的地方的時候，牠立刻又掉在不知道的什麼地方去了。

人在山下望那山頂的時候，牠正像太陽似的聳立雲端，那裏蘊藏着所有的神祕與光明。人的希望隨着他的眼睛一齊都交付給那山頂。他向着那山頂去找尋他所當走的路徑。當他經過了一切危難，經過了一切損失

— 79 —

而達到那山頂的時候，他於是明白了：他所獲得的，便只有他的損失。他開始站在山上，他開始看見他腳下所有的一切，都是些平凡的土石，正同他所原先站着的地方一樣。他開始去望他來時所經過的一切，他一點也不能夠明白，那些，何以有那樣大的誘惑，會使他把死時不得不死的同樣的力量完全交付出來。

這便是我的現在，我現在便是那顆聳立山頂的太陽，同樣地，我現在正要掉在不知道的什麼地方去了。

但是，無論如何，我今天是可以呼吸一口自由的空氣了。從我到我的山，一切都是屬於我的。我現在是一個永遠未曾有過的國王，我的時間，我的地盤，我的呼吸，我的生，我的死，一切都完全是屬於我的。我什麼時候要想把我的生遞給我的死，那麼，那個司生的自然，牠便沒有法子不給我跪在地下。然而，我却偏要學一個放風箏的頑童，我把那死的線放了出去，而我却故意地玩弄着，不肯立刻收了牠回來。

我現在的世界，是一個不屬於生而又不屬於死的世界，這是一個世界之上的世界，在這裏，我可以望得見生，我也可以望得見死，我可以，在這裏，讓我的生踏在死的屍體上跳舞，我也可以讓我的死入據生的王宮去

— 80 —

作牠的最後的主人。而我自己，是那樣一個公平的父親，我一點都分不出牠們中有差異的地方，以致有所藉口而偏袒我的愛憎。

我現在，是完全佔有我的呼吸的領域，決不會再有任何的呼吸來觸犯我，可愛的或可憎的。來變更牠的獨有的色澤。在我的望眼中，連一雀野鳥都沒有。我是居住在一個沒有天地的天地，而我有有天地的愉快。我是走進荒漠中，而我有荒漠中的痛苦。

我現在，是得到一種最大的解放，我不只不受別人的束縛，不只我的敵人們都滅絕了他們的形跡，我的解放，是從我自己的理想中的解放。這是我的第二個樣式的安那其。對於那個完全的我自己的一種安那其，而且是一個惟一的真的安那其。

這是我沒有料到的，我在這最後的失敗中得到了我的最後的勝利。雖然這些，我似乎早已知道過了。

我拿起我的伴侶來面對着我的胸膛，我說了。——

親愛的朋友！我現在到了需要你的時候了嗎？我們的一生的經歷，我們在多次的出生入死中所建築起來的偉蹟，你也曾注意到預先想一想

— 81 —

牠會是個什麼勞什子嗎？

我們在一生的奔波之後，現在纔走人一個絕地，這也許是你所要詫異的？但是，只有我和你，這個絕地，讓我們愉快地享受牠呵！

我們不死於紛擾，而死於幻滅，我們用自己來結果我們自己，這是我們的權力的最後的執行。

世人將不復咒你，我的親愛的朋友！那個最大的，最後的殺人者將要屈服在你的威嚴之下！

我們訣別之後，讓天日永遠不再看見我們吧！讓我們的子孫永遠在和平中追逐其幸運！讓我們把絕望一同帶到絕地去，而只貽我們的孩子們以希望吧！

讓你的最後的頹歌被我的親愛者們所聽見，給他們以震驚或哀泣，我將携着你的賜與而同你滿足地同歸於盡！

最後的一次，讓你照耀我以你的光！生命呵，再見！

· 82 —

閃　　光

1

不認識的朋友們啊！
我已經知道你們的名字了。
"什麼是我們的名字呢？"
星，星，星，………

2

鄉村，家庭，
壓在我的夢上，
我壓住了。

3

幾次從我身傍翩翩飛過的
　挿花的少女啊！
如其你沒有中國人的那顆
　心時，

— 83 —

我便會跪在一座完美的雕
　　像之下。

4

圖書館中的狼啊！
警務處的女友啊！
當我想念太原時，
總是你們倆先來敲我的門。

5

主人還沒有覺察，
奴隸已在睨視了。
朋友！如其你的腳有伸出
　　的需要時，
就請踢在他們的心窩上吧！

6

當我看見她時，
我早已睡在她身上了。
你要我埋葬在你的接吻裏
　　嗎？

— 84 —

7

一對朋友遨遊於武昌，
他們帶着我的心走了。

8

在花的開中，
我找尋着我所遺失的夢，
我不敢叫出牠的名字。

9

"a, b, c, d, ……"
打字機在活動了。

10

我用熱淚灌溉着已經死掉
　的我，
我沒有說出一句話來。

11

公園中看着傳單的胖紳士
　啊，

— 85 —

防避着紙上有火要燃燒了！

12

我要扼住你們的咽喉，
誰配站在別人的頭上呢？

13

一個小姑娘坐在她丈夫的
　　懷裏——
老了，死了。

14

禮樂，是為死人而設的。
新生的孩子呢？
只要有呱呱的哭聲便夠了。

15

人體都創造成了。
心呢？
心呢？
我聽見‘自然’哭了。

—— 86 ——

16

鼓！鼓！鼓！
只於是鼓的聲音，
敲鼓的人睡着了！

17

夢說：
"醒吧！醒吧！"
做夢的人便醒了。

18

祝福你，
無論失掉了什麼的朋友！
你重新又要被滿開綻着了。

19

你爲什麼把偷竊認爲英雄
　的行爲呢，
從別人的所有中掠取你所
　需要的？

— 87 —

20

夠了，

了夠，

夠了，

到處都是同樣的聲音。

哼！

21

一個屍首在街上走着，

我握住他的手說道：

"朋友，你已經死了！"

於是，他便躺下去了。

22

大礮造成時，

我給他以我的名字。

23

拿破崙問道：

"我可以死，但是，我的力

呢？"

我遙指著空間答道：

"那裏的孩子們比你更強！"

24

尼采嘆道：

"超人被羣衆壓得發狂了！"

我答：

"誰叫你只顧‘這樣說’來
啊？"

25

你願意看見我的心嗎？

牠存在叫化子的罐子裏邊。

26

手？！

手？！

…………？！

— 89 —

27

午砲響時，
全城都在午中了。

28

眼淚是爲痛苦流的，
你如把牠裝在你的卑怯和
　偏狹的私囊裏時，
眼淚便爲牠自己哭了。

29

月兒沈默着，
風兒沈默着，
吹的人沈默着，
聽的人沈默着，
笛韻傳出了他們的心音。

30

踟蹰不前，
是怕踏碎你的影子？

—— 90 ——

31

水中，
樹上，
空間，
蝦蟆們唱出同樣的調子。

32

張嘴想唱時，
總知道自己不是一隻鳥兒

33

流動不息的空氣常顯出靜
　　默的樣子。

34

站在十字路傍，
世界從我面前奔流過去。

35

眼睛的一瞥，
愛情便飛過去了。

— 91 —

36

開窗遠望，
我看見了‘永久’的影子。

37

在我的詩中，
有你的心跳動，
他將要飛入你的胸中。

38

黑暗中，
現出點點紅的血跡時，
人類便要開始復活了。

39

從此絃，
到彼絃，
因空氣的流變，
在隱蔽了的心中，
詩人們彈出不同的音曲。

40

她的眼睛，

釘住了我的心，

我看見我所遺失了的東西。

41

親愛的弟弟，

回來吧！

在我們的面前，

開拓着許多不同的路，

都可讓我們自由地走去。

42

飛呵！

飛啊！

飛到空中去，

一切便都在你眼中了！

43

叫化的小哥兒呵！

請贈我以你的一滴眼淚，
不要賣弄你的口才了！

44

無聊的石子兒呵！
當你偷偷地躲在我的腳傍
　想把我絆倒的時候，
我早已踢開你走到前面去了！

45

朋友！
　如其你走得倦了的時候，
就請停歇在我的夢中罷！

46

當生命走過去時，
腳印便在那裏留下了痕跡。

47

你如能挑動那根基本的絃
　索時，

—— 91 ——

一切便都在顫動了。

43

石頭從山上滾下,
不是爲討好給地心吸力,
是爲娛樂牠自己。

49

落了!
落了!
見太陽落了下去,
黑暗便歡呼着佔領了大地.

50

蠶兒鑽入繭中,
蛾兒飛了出來。

51

嬰兒歡欣着走進了世界,
回望母胎,
發生惜別的哭聲。

— 95 —

52

當我變成你時，
你將離開我到那裏去呢，
你————？

53

白雲飛着，
燕子停在空中。

54

沈默說：
"到我佔領世界時，
言語都變成哀求了。"

55

在歷史的軛下，
社會運動家爬伏着
你們眞的反叛出來啊！
踢開過去，
向未來猛進者！

— 96 —

56

力的表現者呵！
詩人呵！
科學的發明者呵！
革命的犧牲者呵！
不墜的生命，
只賴有你們支撐着。

57

在他們的紅臉皮上，
反照出將死的人們的回光。

58

父親把孩子踢進世界來，
祝道：
"像我！像我！"

59

"孩子呵！
孩子呵！
你死了我該吃誰呢?"

— 97 —

無依的母親在新墳旁哭着。
銜着野食的鳥兒驕傲地從
　　她們頭上飛過。

60

兩隻眼睛釘住了一隻脚,
女學生們過去了。

61

"報!
報!
報!"
陜着賊眼的宣傳者呵!

62

害噎病的鐵叉在胳膊上飛
　　着──
"嘩啦!嘩啦!"
響了。
"　　　　　"
不響了。

"嘩啦！嘩啦！"
又響了。
…………………………

63

從書裏跳出來的，
打回書裏去吧！
從歷史跳出來的，
搬到古董店裏去吧！
從社會跳出來的，
給他公開了吧！
一切從虛偽跳出來的，
撕破了他們的面孔吧！

64

炮彈子飛到空中的時候，
轉念道：
"毀滅了這些自相殘殺的畜
　　生們吧！"
便飛到人類的頭上。

—99—

65

狂飈怒吼着，
軟弱的人們都關在家裏。

66

迸發呵，有慧光的人們！
燃燒呵，有情熱的人們！
發作呵，有勇力的人們！
流連忘返呵，有慾望的人們！
倒下呵．無生氣的人們！
反抗呵，反抗一切的權威！

67

乞兒每得到一個銅子時，
他覺得世界便好住了一些。

68

地球負着游惰的人們旋轉，
在他不停歇的時候，
他看不見他所負的是什麼。

— 100 —

69

土丘停在路傍，
向着周圍譏嘲道：
"你們誰比得上我!"
太陽冷笑着從他頭上跨
了過去。

70

墳墓，
黑漆漆的墳墓，
便讓燐火統治了去嗎?

71

在鮮美的少女的後面，
追躡着猙獰的一個老婦，
她們一齊都倒在地下。

72

他給我他的手，
我絕拒了，說道:
"請給我你的心!"

— 101 —

他驚得喊了一聲，
我看時，他早跑了。

73

行人擁擠的通衢，
當太陽站在天的當中時，
我聽見啾啾的鬼哭。

74

"請賜我片刻的居留！"
游子叫着，
他走遍了地球。

75

死亡說：
"給我跪下！"
屈慣了膝的人們便不自覺
　跪了下去。

76

生存睨視着死亡，說道：

— 102 —

"這些是我所遺棄了的，
讓你當寶物拿了去吧！"

77
他笑嘻嘻地走到我身傍，
在我的肩膀上拍了一下，
我立刻便昏暈到地下。

78
跪在我的面前的施與者，
把誠懇雙手獻給了我，
我看時，知道是被他騙了。

79
他要把我拉住，
他要我爲了那一角呵，
而棄了那全體。
在我的前面如只有無地時，
我應該走向何處?

—103—

80

那裏是鳥兒吃剩的果子，

那裏是蜂兒釀就的花蜜，

那裏是 ——！

我的 ——！

你是在那裏呢？

81

有天之涯呵！

有地之角呵！

你們不是建設在我的心上

　　嗎？

82

是兩個的搏戰？

是多個的混戰？

一的分歧呵！

你何時纔變成分歧的——在

　　我的心上？

— 104 —

83

天雨時，

天在笑，

雨淚流下了我的雙頰。

84

——切，

都團聚在我的心上，——

在飛躍

在火迸。

是雷鳴？

是電閃？

是心裂的宣言？

85

只要有兩顆血球在碰衝時，

血管便感到炸裂的恐怖。

86

在一條線的兩面，

分成了敵國。

旗帶瀟瀟地飄搖時，
人們獻出他們的血來。

87
上帝降臨在造謠者的舌頭
上，
造謠者於是被祝禍了！

88
死去的朋友呵！
你看見你的愛人跪在屠戶
的屠刀下時，
你爲什麼還不活轉來呢？

89
屠戶的刀，
刀下的肉，
世界建築在牠們倆的上面。

90
屍首倒在路傍，

— 106 —

我被什麼牽了過去，
沒有趕得及流下一滴眼淚。

91

殺人者死，
被人殺者也死嗎？

92

給我所需要的，
你慳吝者呵！

93

"我所最愛的!"
我望著她叫，
當我叫時她的靈魂便震動
　　的。

94

月光照在我的身上，
我做了一個銀色的夢。

95

無底的，

無底的 ---

我沈下去，

飛奔，

飛奔…………

96

故友重逢，

故友呵，

請告訴我你的新名!

97

在時常我的眼前搖提着一

個熟的面孔，

我不知道應該把牠嵌在那

一個身體上面。

98

我坦白地走了進去，

當你的幽邃的心給我開了

門的時候。

— 108 —

99

如其你能唱出我的聲音時，
我願意賜你以詛咒我的特
　權。

100

地上的足音，
洩露了地心的秘密。

101

在無人的地方，
自然'給祂自己唱着祂的
　得意的曲子。

102

到空谷裏去吧，
我將在那裏聽我自己的回
　響。

— 109 →

103

被包圍了時，
笑聲便特別響亮了。

104

面對自然時，
我看見我自己的面孔。

105

飢餓者死在他的啼哭裏，
連憤怒也餓死了嗎？
連啼哭也餓死了嗎？

106

從佔據了幸福的人們的唇
　裏，
唱出社會的讚美歌來，
請記下他們的口供吧！

107

當你再來時，

或者已經不是你了，
如其世界永久是這樣時，
則你————
我的親愛朋友呵！

108

有的因失望而囘去了，
有的在路傍停住了，
只有你——路呵，在慰藉
　你自己的寂寞。

109

當戰士們都死了的時候，
戰場便囘復了原來的荒涼。

110

無定的游雲，
請告訴我你的行蹤！

111

心跳時，

時鐘打了三點，
我知道時間也在跳了。

112

天心被月亮佔據了。
嫉妬的星們都閉住她們的
　眼睛。

113

我的愛情，
封入你的棺中，
　伴着你的死亡呵，永生！

114

流星飛了，
心的損失呵！

115

夜的來客呵！
你之外，
誰還知道我心的秘密？

　— 112 —

116

狂風裏，
藏着我的悲悽，
號着，號着，
牠響遍了大地。

117

荒地裏，
埋着我的屍身，
開墾者來時．
青青之麥阿，
那都是我的化生！

118

雹子打在我的窗上，
我點燃一支烟抽着，
綠繞的游雲載憤恨而飛去。

119

譏笑者來時，

心請藏起你的，
而蹴之以你的脚踢！

120

君呵，紅旗！

革命了嗎？

沒有，牠掉在古墓上了！

121

飛的是星嗎？

是人嗎？

是時代嗎？

飛的 —— 在那裏？

122

天呵，降下來吧！

地球上的空隙太多了。

123

他怒了，

指頭掉在地下，

— 114 —

敵人笑了。

124
凶獸，你想吃人嗎?
人已經死光了。

125
"跪下！跪下！"
小兒伸出白手，
揪住獅子的鬣毛。

126
狗子在水中看見牠的影子，
　　罵道:
"下流東西!"
水中的影子也還罵道:
"下流東西!"

127
我家的雞昨晚生下一隻
　　大鵝來，

— 115 —

但人們並沒有驚異，
他們以為那仍然是隻鷄。
你要問我，我的家住在什
麼地方嗎？
牠在你家客廳裏。

128

雷的波浪滾入我的手心，
美的軟球，
婀娜地響，
我一翻手時，
窗外下雨了。

129

從他有生以來，
他被幽囚，
除他外，
沒有人能把他解放！

— 116 —

130

有足踏踏地走過，
嘴被遺棄了，
怕人聽見祕密。

131

涼吻吻着我心，
我的心也涼了，

132

…………
那邊有人來了！

133

我走進她的屋中，
給她留下一個夢，
我走出屋來，
屋門原封不動地合閉着。

134

失盜了，朋友！

"我還有自己在著！"
你在什麼地方呢？
"那裏 —— 那裏 —— ！"

135
"別來無恙！"
十九世紀說著，
握住二十世紀的手。

136
貓眼瞅着太陽，
太陽驚走，
從清晨，
到午中，
到黃昏。
貓眼瞅着月亮，
星們笑了。

137
朋友，走吧！
"我還沒有生下來呢！"

— 118 —

138

完了，

完了，

閉幕！

精 神 的 宣 言

我疲倦了。我不能復忍此過度之奔馳。

我是一隻駱駝，我的快樂只有負重。我的希望，只有更大之重負。

我不願走坦道，因爲這樣的一日將要來了：在這坦道上，將要爲屍首所充塞了。

在我則，最安全的路只有崎嶇的山路。我將披堅執銳，而登彼最高之山巔。

朋友！你們將要笑我狂嗎？庸人於其所不知，則謂之狂，你們眞是庸人呵！我最大的希求，便是遠離你們而達於狂人之勝境。無偉大之靈魂者，必爲狂人之國所擯棄。我將使你們，於被擯棄之羞辱中而得卑下的自欺的自慰。

然而我的重負說了：——

"你燥急的怪物呵！你將負我等至於何地？你走得何其迅速，你將墜我等於山麓嗎？"

"你驕傲的畜生呵！我們將爲你所破碎，你的背乃

— 120 —

如是之隆腫，你何逆吾等之意而生此畸形?"

　　我隱忍而不言，我知道，我的責任，只在負重。

　　然而我疲倦了。我眼花而神昏，我已無復精力，我已不能擔負我的工作。

　　而我的重負笑了，這是何等殘酷的聲音! 我的將死的喘息，乃只供彼等取樂之資嗎?

　　我將不復行，我將留置彼等於懸崖之上，而求自我之滿足。

　　我將變而為少年，而臥彼美女之懷。

　　世間所有的東西，沒有比我的慾望更大的了。我愛一切，我要把我自己發展至無限，我要把我做成功一個宇宙。

　　然而，在現在，我已成為一個自好之君子，我已捨棄我之一切慾望，而只願作一被愛之少年。

　　世間有可以被我愛的女子嗎? 誰將以被寵之手來接受我的禮物?

　　我懷疑着，我搜尋着。

　　誰願意佔有我呢?嫵媚的女將呵! 誰願意携我去做俘虜呢? 我冒險地驥着。

— 121 —

彼處有美女向余招手。

彼來世已久，彼曾以享樂爲惟一之目的。

然彼之享樂，彼已覺悟，彼知所得到者，皆非眞樂。彼之尋求，只得空虛。於是而彼所得到者，惟有悲哀。

彼亦嘗一覩理想之彩光而起驚異之心。然彼爲境遇所驅，理想已一瞥而逝矣。

然理想在彼魂中，已根深而柢固矣。如一有所觸，則彼必將彼之寶物獻上理想之寶座。彼已知彼之寶物，必於理想中乃能有所贈與，乃能得愼重而收受之，而以全生享有之者。

彼已識我，彼已於夢中與我成莫逆矣。彼已將彼之寶物獻給我矣。

彼何物耶？彼乃宇宙間最精美之一物，彼乃創造者最得意之作品，我如是確信。

汝等乃敢譏笑我嗎？然我知，有譏笑之權利者惟我而已。汝等且將受我之譏笑，我將譏笑汝等之無所見也。

汝等亦知有愛，然汝等所愛者，皆我之所憎。汝等亦非無眼，然我之所見者，在汝等則爲無物。然眞物則在汝等所視爲無物之中。

我將犧牲一切，而投赴彼美女之脚下。能亨受我者，惟彼一人。亦惟我乃能滿足彼享樂之要求。

然彼之聲音,抑何其悽楚? 彼其痛彼享樂之失敗耶?
然彼將得勝矣。

我之一切,已不足梗我之心。我聞彼哭而我乃涕淚
滂沱。我將以彼之苦為我之苦。

彼之心已跳動矣,因無安息之所故也。彼之心已哀
鳴,彼已招我而與彼共鳴。我孤鳴已久,我不與彼共鳴而
誰共耶?

吾今厭惡一切,因吾已疲倦矣。吾將擯棄所有而求
吾自我之恢復。

吾將再來。吾再來時,將有更充實之生命,吾將有更
大之力以負吾之垂。然吾此時則疲倦矣。我將退而從事
於自我之享樂。

汝等猶欲羈絆我耶,然不久,汝等則知我乃不可羈
絆者。

我已無說話之餘裕,我之自身及我外之一切已不
與我以述說之安詳。我將歸於沈默,我將以沈默而執行
我之實行。生命最高之表現,惟實行耳!

我將逃⋯⋯⋯⋯⋯⋯⋯

— 123 —

震 動 的 一 環

我已經死過一次，但我現在又在活着了，這於我是最大的痛苦——痛苦嗎?你是如何淺薄的字呵!

我那時，好像很聰明，我的計畫好像比事實還周密，我以爲那簡單的一死之下，一切問題都可以解決。

我沒有那樣傻過，我的目前的生在給我的過去以公平的懲罰。

我是一個犯罪者，我的犯罪超於一切法律，道德，苦惱，生存及死亡所規定與所未規定之上。我永遠沒有解脫的一日，當剩有一個任何的未解脫者苟延殘喘的時候。

我現在已經老了，雖然我正像是咋天的一個新生的孩子。我走得太快了，所以老緊追着我的少站在我的身傍。牠要給我介紹一千次死到我的歷史上。

心是一個疣子，而那個最大的疣子被裝置在我的胸腔裏了。沒有比牠更性急的，牠無時不在焦燥着如何可以把牠的最多的血在最短的時間流出。牠命令我去捕捉我所最愛者而一口一口地把牠咬死。誰還能比我

更是一個服從者呢? 然而, 最愛者。除那些使我煩惱而
冷淡而又不得不愛者外, 什麼是我所最愛者呵?

　　夜了。睡眠永遠拒絕他所不願意接見的客人的拜
訪。在我的國裏, 沒有休息。

　　世間有一種小東西叫做人類, 我不知道 這個命名
的來意。大概同蒼蠅差不多, 我想, 因爲牠們同蒼蠅很難
找出一點區別。牠們貌小, 浮動, 鬧嚷, 而且驕傲, 而且驕
傲, 而且驕傲!

　　我對於我的影子, 將永遠成爲一個膽怯者, 同一個
什麼東西相像的發見, 卽如同蒼蠅或人類, 那是如何可
怕的事呵!

　　沒有再壞的事! 我彷彿聽見有一個聲音在說: 你是
人類!

　　我逃走……

　　頭與牆的碰撞 是最偉大的音樂, 當歌者把他的喉
管叫斷時, 我將永遠記念着他的榮名。

　　會哭的動物 時常保持着臉的平衡, 皮膚炸裂的喜
劇, 你們天才者有敢上演的嗎?

— 125 —

　　一切都熟睡了，因爲太陽已放棄了他的愛護的責任。那個光明的總批發者總會有一天掉在自己破滅的黑暗裏。只有什麼喜歡什麼，所以連那些小哲學家星們也都已棄世而去，而把醜惡讓給享樂的陰雲。

　　只要有一聲噪音，我曾如何矜奇呵！

　　哭了，笑了，罵了，鬧了——做夢的都在做夢了——然而沒有愛，沒有思想。

　　我看見駱駝和女子的影子。

　　駱駝自以爲美麗。

　　我也不喜歡女子，因爲她沒有我那樣多的眼淚。但是，她說話了。

　　"我在什麼地方見過你嗎?"

　　"在你的眼睛裏。"

　　"我們曾經是朋友過嗎?"

　　"在我爲你死掉的那一天以前。"

　　"你是鬼嗎?"

　　'鬼是人的化身。我現在已是鬼的化身了。在你們的字典裏還沒有我的名字那一個字。"

　　"你保留着舊的記憶的新生者呵，你還愛我嗎?"

　　"我願爲你而哭，而笑，而罵，而鬧，而思想，而抛擲

　　　　　　　　— 126 —

一百次的生命，然而我不能再愛你了。"

"在我們，那是還沒有發明的偉大的愛。"

"從輕悔中丟一個銅子，對於叫化子是博愛者的實行。"

"那末，你厭棄我了嗎?"

"不然!那是你的靈魂的懺悔。逃開牠呵!"

現在只有駱駝是我的惟一的寂寞的破壞者。

"你忘掉你的責任而假裝你的虛榮的笨重而輕狡的蠢才，給我滾開!"

我現在也許變成一個靈魂，活在狡猾者的神話裏。

她現在也許乳頭在痛，於是她想:我今天遇見一個靈魂。

他現在也許飢餓在荒溝中，於是他想:我今天遇見一個靈魂。

逃開牠們!

我跑到一個水池邊，一顆柳樹像所謂愛人似的假抱在他的身傍。

我一躍坐在她的肩膊上。她跳舞了，我也同她跳舞。

— 127 —

"有什麼在重壓着我呵?"她納罕地想着。

"一個最大的重量!"我也想。

但她並不去發覺,僅只想着。於是,她什麼也不覺得了。"那只是一個幻覺!"她終於這樣想了。

我樂得掉下我的頭來。

──在水的中間,一個可怕的形像!

沒有遺下一點蹤跡,我模仿着太陽跑了。

"到底還在有一個重壓,但現在已經逃走了",我分明聽見她在覺悟了。

"我還捉住他的一個影子呢! 水池也為表示他的驕矜而犧牲了他的沈默。

讓失望者失望吧,那只是她自己的影子呵!

我應該跑到什麼地方去,一點也不能够知道。所有都差不多,我以為。

黑暗,冷寂,污水,土匠,小房間,小房間──一個呆笨的小球在牠們的下面旋轉着。

太陽會看上這塊地方,所以牠是一個盲者。

別一顆小球應着我的思想出現。牠跑着,疲倦在熱汗中。

── 128 ──

我追上牠去,牠更快地跑着。我放慢了腳步;牠也幾乎像停住了。

"一個同樣的狡猾者,那個孩子們的爸爸!"我失意地想了。

我明白了這個說謊者的伎倆,牠只知道裝潢,卻忘記了養成。牠把紅的胭脂塗抹在地上,因為貪多的緣故,牠們變成了紫色。牠沒有想到那是些假的顏色,所以牠一走之後,一切便都脫落了。

這都是無關重要的事,我現在無須管牠。

我的心也是一顆太陽,但牠忘掉了照耀自己,牠只使我發燒。我是一個永久的熱病患者。

我將把牠們分發在那裡呢,這些散之則全得,聚之則自殃的東西?

那是我的母親,病臥在床上。她已入睡了,但她的眼皮仍醒在痛苦中。

我接吻她的眼皮。

"你不是我的孩子嗎?"

"我是你的——你的鄰人。你的孩子已經死了。"

"是的,我剛纔還在哭他。是我的夢給我安慰: 他在

— 129 —

活着呢。"

她的夢已經醒了，但她的睡眠仍夢着在她的痛苦中。

我的病已達到九十九分。

我的女人也橫陳在她的小床上。

"我是你的丈夫。"

"我的丈夫已經死了。"

"但是，你活着。"

"我爲她痛苦。"

"但是，你活着，我說！"

農夫也睡在草房中的牀上。脚心出血。鼾聲在他的疲倦中響出。

他的頰上迸發出笑容，他在做着歡喜的夢。

驢子倒斃在他的脚下，吸他的血。

到某個時候，他們將重復起來。

其餘的都是他們的兄弟。

我不憐憫，且不咀咒，一切任其自然。

沸水成冰，冬已至。

　　我曾見過一些星星。牠們美麗,聰明,温和, 然而貌小。我曾迷戀過凝望,但我不愛牠們。

　　牠們在那顆藍色的布片上排列出網狀的花紋,牠們的眼睛互相傳達着誘惑的,忘我的密笑,牠們一切都滿足。牠們的滿足是最大的貧乏。

　　"你們爲什麼不搬移到那個羅曼的掃帚上去呵?現在的娛樂塲是一個平凡的地方呵!"我曾凝望着牠們這樣想過。

　　牠們以爲遇見了一個傻子呢。

　　但現在則陰雲是空間的統治者了。

　　"如其有一顆最小的帶着在我的無名指上時——"我無聊地想着。

　　"我還會把牠丟給狗子吞了去呢!"

　　世間沒有可愛的東西,雖然不乏求愛者。

　　復活嗎?除掉看見更多的醜惡之外, 什麼還是你的內容呢?

　　冰變成最陰沈的冷。我的熱達到最高潮。

　　我蹤躍在空中,無阻礙亦無牽掛。

　　地球倒吊在我的面前。

　　我將——

　　　　一個沒有睡覺的天文學家在報告書上寫了下面的
兩字:——

　　某月某夜,一彗星由地球側面馳出, 在空中作一長
蛇舞,火裂自殲,幸未傷及地球。